MIROIRS
est le mille huitième ouvrage
publié chez
VLB ÉDITEUR.

VLB ÉDITEUR
Groupe Ville-Marie Littérature inc.
Une société de Québecor Média
1010, rue de La Gauchetière Est
Montréal (Québec) H2L 2N5
Tél.: 514 523-1182
Téléc.: 514 282-7530
Courriel: vml@groupevml.com

Vice-président à l'édition: Martin Balthazar

Directeurs littéraires: Martin Balthazar et Annie Goulet
Illustration en couverture: Agathe Bray-Bourret
Design de la couverture et maquette intérieure: Julien Del Busso

Catalogage avant publication de Bibliothèque et Archives nationales
du Québec et Bibliothèque et Archives Canada
Collectif
Miroirs

Sommaire: *J'ai tiré le diable dans les toilettes* / Jennifer Tremblay – *Maeva* / India Desjardins – *Genre* / Caroline Allard – *Je suis chez moi* / Mélikah Abdelmoumen – *Dans les bosquets* / Claudia Larochelle – *Mescaline* / Danielle Fournier – *Hit* / Karine Glorieux.

ISBN 978-2-89649-496-5

1. Écrits de femmes québécois. 2. Nouvelles québécoises. I. Tremblay, Jennifer, 1973- . J'ai tiré le diable dans les toilettes. II. Desjardins, India, 1976- . Maeva. III. Allard, Caroline, 1971- . Genre. IV. Abdelmoumen, Mélikah, 1972- . Je suis chez moi. V. Larochelle, Claudia, 1978- . Dans les bosquets. VI. Fournier, Danielle, 1955- . Mescaline. VII. Glorieux, Karine, 1974- . Hit. VIII. Titre: *J'ai tiré le diable dans les toilettes.* IX. Titre: *Maeva.* X. Titre: *Genre.* XI. Titre: *Je suis chez moi.* XII. Titre: *Dans les bosquets.* XIII. Titre: *Mescaline.* XIV. Titre: *Hit.*

PS8329.5.Q4M57 2013 C843'.01089287 C2013-941495-9
PS9329.5.Q4M57 2013

DISTRIBUTEUR:
LES MESSAGERIES ADP*
2315, rue de la Province
Longueuil (Québec) J4G 1G4
Tél.: 450 640-1237
Téléc.: 450 674-6237
*filiale du Groupe Sogides inc.,
filiale de Québecor Média inc.

Pour en savoir davantage sur nos publications,
visitez notre site: editionsvlb.com
Autres sites à visiter: editionshexagone.com • editionstypo.com

Dépôt légal: 3e trimestre 2013
Bibliothèque et Archives nationales du Québec, 2013
Bibliothèque et Archives Canada

ISBN 978-2-89649-496-5

MIROIRS

VLB éditeur bénéficie du soutien de la Société de développement des entreprises culturelles du Québec (SODEC) pour son programme d'édition.

Gouvernement du Québec – Programme de crédit d'impôt pour l'édition de livres – Gestion SODEC.

Nous reconnaissons l'aide financière du gouvernement du Canada par l'entremise
du Fonds du livre du Canada pour nos activités d'édition.

Nous remercions le Conseil des Arts du Canada de l'aide accordée à notre programme de publication.

MIROIRS

Jennifer Tremblay • India Desjardins • Caroline Allard
Mélikah Abdelmoumen • Claudia Larochelle
Danielle Fournier • Karine Glorieux

vlb éditeur
Une société de Québecor Média

INTRODUCTION

Au départ, il y avait l'idée, le désir de réunir des auteures très différentes avec qui créer un lieu fictif. Dans cet espace commun, nos plumes se croiseraient, nos personnages s'observeraient.

Un endroit me semblait particulièrement propice à ces rencontres : les toilettes des femmes d'un restaurant achalandé. N'est-ce pas là un lieu riche en contrastes ? Un endroit à la fois public et intime où se côtoient, l'espace d'un instant, de pures inconnues ? Nos protagonistes se remarqueraient à travers la rumeur ambiante de la salle à manger, mais plus intimement ensuite, derrière la porte des toilettes, se développerait le monologue intérieur de chacune.

Ensemble, nous avons joué, comme des fillettes avec leur service à thé. Drôles, tendres, cruelles, délirantes. Nous nous sommes transposées dans un restaurant imaginaire et l'avons animé, y faisant évoluer des femmes attachantes, à la fois fortes et vulnérables. Et de cette mise en scène est né ce recueil singulier.

Maintenant, nous vous invitons à tourner votre regard vers le grand miroir où chacune d'entre nous s'est racontée.

Karine Glorieux

SOMMAIRE

J'AI TIRÉ LE DIABLE DANS LES TOILETTES

Jennifer Tremblay

Ma mère a encore répété : « Tu es tellement plus belle comme ça... Tellement plus belle ! » Je lui ai répondu par un sourire un peu forcé. Nous sortions de l'hôtel. La nuit était tombée. Nous étions pressées, nous allions être en retard. « Tu vas trop vite ! J'ai du mal à te suivre ! »

Je me suis assurée en marchant qu'il y avait bien, au fond de ma poche, mon jeu de tarot.

Depuis plusieurs mois, je ne pouvais plus me séparer de ce tarot. Il absorbait mes angoisses, les drainait, les aspirait. Il n'était pas question que je le transporte dans mon sac. Je devais pouvoir à chaque instant retrouver le contact du paquet de cartes en glissant ma main dans mon manteau.

Nous traversions la rue Berri. Ma mère a insisté : « Tu ne dis rien ! Tu ne trouves pas que tu es MILLE FOIS plus belle quand tu as les cheveux raides ? »

Pendant mon enfance, ma mère s'était dévouée pour dompter mes boucles. Une fois par semaine, le dimanche, elle lavait énergiquement ma longue et épaisse chevelure brune dans l'évier de la cuisine – je devais plonger ma tête sous le robinet, une opération terriblement pénible – avec un shampooing et un revitalisant coûteux qu'elle se procurait dans un salon de coiffure pour dames. Après un interminable rinçage, elle épongeait consciencieusement ma tête ébouriffée, puis s'armait d'une large brosse noire pour en défaire les nœuds. Elle branchait le séchoir, lourd et puissant, et entamait une opération qui allait lui prendre une heure complète de sa seule journée de congé : sécher, mèche par mèche, mes cheveux archi-propres en les étirant minutieusement pour bien les raidir.

Elle ne me lâchait qu'une fois éblouie par l'efficacité de sa méthode, qu'une fois parfaitement satisfaite du résultat. Je me relevais de mon petit banc, épuisée d'avoir eu la tête tirée en tous sens, le crâne surchauffé par le souffle brûlant du séchoir. Je marchais jusqu'à la salle de bain pour constater le fruit du travail de ma mère.

Elle parvenait effectivement à faire de moi une jeune fille aux cheveux raides. Ma frange tournait toujours un peu sur les côtés et aurait dévoilé à quiconque y aurait porté attention ma vraie nature… Mais si on ne tenait pas compte de ces deux frisettes récalcitrantes, deux grandes résistantes, on pouvait dire que ma mère domptait ma chevelure avec autorité.

Il suffisait cependant que la brise soit un peu humide, ou que je m'aventure au soleil, sous la pluie, ou sous la neige, avec ou sans chapeau, pour que la nature reprenne ses droits et bousille en quelques minutes l'œuvre maternelle. Des vagues se formaient à la pointe de mes cheveux, puis remontaient le courant des mèches pour former au bout d'un moment un bouquet de grosses boucles brunes, dégradées, désordonnées, tirant parfois sur le noir, parfois sur l'auburn.

« Moi, en tout cas, j'aime mieux tes cheveux quand ils sont raides. » Nous traversions la rue Saint-Denis.

Ma mère avait voulu que nous mangions en face de l'hôtel, chez DaGiovanni. Moins loin, moins cher, moins compliqué, avait-elle argumenté. J'avais insisté. Je voulais justement que ce soit loin, cher et compliqué. Elle n'avait pas renchéri, sentant probablement qu'après ces deux journées passées à courir aux quatre coins de la ville avec elle au gré de ses caprices, je considérais avoir droit à ce souper compliqué. Elle m'avait donc laissée réserver une table dans un restaurant branché de la rue Sainte-Catherine. Nous étions en retard parce qu'à la dernière minute, alors que j'allais enfiler mon manteau, ma mère m'avait attaquée avec son fer plat et son fixatif longue durée – c'étaient là ses nouvelles armes –, décidée à changer mon look, qui l'horripilait. Je n'ai pas résisté, c'était une guerre inutile. « Dépêche-toi, maman. Si on est en retard, ils vont donner notre table. »

Vers l'âge de dix-huit ans, je l'avais coupée court, ma chevelure. Très court. Si court que plus rien n'était plus possible avec mes cheveux. Ni les friser. Ni les étirer. Voilà. Bon débarras. J'avais l'air d'un garçon. Les professeurs, au cégep puis à l'université, m'interpellaient souvent en disant « jeune homme ». Je portais des t-shirts qui camouflaient ma taille et mes seins, des jeans trop grands qui aplatissaient mes fesses, et de gros souliers sport. Je ne me maquillais pas. Je marchais, désinvolte, d'un pas masculin et libre.

« Pourquoi tu n'étires pas tes cheveux toi-même de temps en temps ? Tu ne prends pas soin de toi, je trouve. Il faut cinq minutes pour se coiffer, et après on est belle pour la journée. » J'accélérais le pas. Il n'était pas question que nous perdions cette réservation. J'avais demandé une table près de la grande fenêtre qui donnait sur la rue Sainte-Catherine. Il commençait à neiger doucement. La première neige sur Montréal. « Ça y est ! Tes cheveux vont se mettre à friser ! Vite ! Mets ton capuchon ! » Et ma mère s'empressa de rabattre le capuchon de mon manteau sur ma tête.

J'avais finalement porté les cheveux courts pendant presque deux décennies. Puis l'envie m'avait prise de les laisser pousser. Ils avaient rapidement atteint une longueur intéressante, descendaient maintenant jusque sur mes épaules. Ma nuque avait disparu.

Ma chevelure avait changé, comme si d'avoir été en jachère pendant des années lui avait permis de prendre de l'ardeur. Elle ne frisait plus en grosses boucles sages comme à l'époque de mon enfance. Elle frisait beaucoup plus, en vagues sur mon crâne, en boudins souples sur ma nuque, en boudins serrées autour de mon visage. Parmi ce joyeux désordre, des fils blancs étaient apparus, lesquels frisottaient aussi, et ajoutaient de la lumière à cette masse. Je ne les coiffais pas, mes nouveaux cheveux, je les démêlais plus au moins, et je les laissais sécher naturellement, les ébouriffant de temps en temps pour leur donner un peu de volume. J'aimais bien cette nouvelle tête, tout à fait frivole, qui me semblait être en parfaite adéquation avec ma personnalité. Ma mère, elle, détestait ça. Et elle ne se gênait pas pour le dire. « Si tu veux, à Noël – Noël, c'est bientôt, c'est dans moins d'un mois, ma fille ! –, si tu veux, à Noël, je t'offrirai un fer plat comme le mien. C'est de la qualité, ce fer plat là, ma fille ! Le plus cher que j'aie trouvé ! Tu pourras avoir une tête qui a de l'allure toute l'année. Enfin. »

Quand nous sommes arrivées au restaurant, la salle était bondée et l'ambiance, joyeuse. C'était exactement de ça que j'avais eu envie. Pourtant mon pouls a soudainement ralenti. Je me suis mise à chercher l'air. J'ai serré encore plus fort mon tarot dans ma main.

— Maman, je vais devoir descendre aux toilettes, ai-je annoncé, désolée, alors que le garçon nous indiquait notre table.

— Pas encore ! Pff... Dépêche-toi pour une fois !

En fait, depuis des mois, j'étais saisie plusieurs fois par jour – parfois même durant des journées entières – par une angoisse dévorante, une angoisse qui m'empêchait soudainement de mettre un pied devant l'autre, qui me serrait la gorge et m'étreignait de toute sa puissance. Brusquement, je ne pouvais tout simplement plus vivre. Mon cœur cessait de battre. Je cherchais mon pouls à mon poignet, sous mon chemisier, dans mon cou. Il n'y avait pas de doute. Mon cœur ne battait plus. Je sentais comme un écroulement de ma volonté, un effacement de ma force vitale, de tout désir susceptible de me propulser en avant.

Une amie, pour me changer les idées un soir de déprime partagée, m'avait montré à tirer le tarot. Je m'étais exercée avec elle, et elle trouvait que j'avais un certain talent. J'avais lu et appris les rites divinatoires – mes insomnies me permettaient de trouver du temps pour les loisirs – et un jour je lui avais prédit qu'elle obtiendrait d'un seul coup une très grosse somme. Elle s'était moquée de moi, pour m'apprendre peu de temps après que son patron venait de lui octroyer une prime substantielle. À ce moment de ma vie, je me sentais sombrer. Et plus je sombrais, plus je tirais les cartes. C'est devenu une manie. Je voyais bien que mon attachement au tarot était un symptôme de mon état fragile. Mais je préférais m'attacher à des images, à des symboles, à des rites hérités de temps immémoriaux qu'à des pilules prescrites à la va-vite par un médecin débordé. Entre les deux, entre le tarot et les pilules, il devait y avoir d'autres cures, d'autres remèdes, mais je ne m'y intéressais pas. Désormais, les seuls gestes capables de m'apaiser, c'était de sortir les cartes, de les brasser frénétiquement en me concentrant totalement sur ce geste, de les couper en deux paquets, de les étendre devant moi et de les interroger.

Chose incroyable, invariablement je pigeais la Roue de fortune. Elle apparaissait toujours, toujours à l'endroit au centre des cinq cartes que je plaçais méthodiquement en croix. « Tant que la Roue de fortune sera là, je peux avoir confiance. » Je me disais ça chaque fois. « Tant que la Roue de fortune est là, c'est que tout va bien, tout ira bien. » Je respirais un bon coup. Et je pouvais retourner au monde. Mon pouls était de nouveau perceptible. Je ressentais de nouveau la volonté. Monter cet escalier. Plier ces vêtements. Peler cette pomme. Tout redevenait possible.

Depuis le début de notre séjour à Montréal – séjour consacré principalement au magasinage de ma mère, pendant lequel j'avais aussi fait quelques achats –, je n'avais d'autre choix, quand une angoisse me prenait d'assaut, que de me retirer dans les toilettes publiques des centres commerciaux pour tirer les cartes. C'était une opération assez compliquée, vu l'espace généralement exigu. J'avais une préférence marquée pour les toilettes réservées aux handicapés, d'habitude isolées et spacieuses. Je plaçais les cartes sur le plancher, quand il me semblait passablement propre, ou sur le réservoir de la toilette, quand il y en avait un, ou sur mes genoux, quand il n'y avait pas d'autre solution. Je ne sortais des toilettes qu'au bout de longues minutes, retrouvant ma mère exaspérée, soupirant, marmonnant pour elle-même, n'osant pas me demander ce que je pouvais bien aller faire si souvent et si longtemps dans les toilettes. Elle ne savait pas, ne saurait jamais, qu'à ce moment-là je frôlais la catastrophe.

Les toilettes du restaurant étaient au sous-sol, au bas d'un grand escalier.

Ce n'était pas la première fois que je venais dans ce restaurant, mais j'avais oublié à quel point les toilettes étaient extravagantes. J'avais oublié, surtout, ce grand miroir qui nous attendait quand nous franchissions le seuil, prêt à nous jouer le pire des tours : combien de femmes, pensant qu'il y avait là un passage, s'étaient frappé le nez sur cette glace qui renvoyait l'image du décor pour faire paraître l'endroit bien plus vaste qu'il ne l'était ? J'en voulais à l'homme – c'était sûrement un homme – qui avait eu la cruauté de placer un si grand miroir à cet endroit.

Quand enfin une cabine s'est libérée, mon pouls avait tant ralenti que la sueur perlait sur mon front.

Je n'aurais pas su dire quand avaient commencé, dans l'enfilade des journées pleines, l'épuisement de ma volonté, la perte de mon équilibre. J'étais cependant certaine que ce commencement était lié à une fin : la fin des matins douillets, des réveils sensuels dans des bras chauds, avec la voix grave qui me disait, en caressant mes seins nus : « Je t'aime. » Mais cette fin aussi avait été si lente et si progressive – les gestes, avant d'être abandonnés tout à fait, subissent une longue mutation – que je ne pouvais me rappeler quand ni comment elle avait commencé.

La voix grave, désormais, s'adressait toujours à moi avec froideur, dans un redoutable souci d'efficacité. Il n'y avait plus de place, dans les courtes phrases que m'adressait le père de mes enfants, pour les dentelles, le velours et la soie.

Brasser les cartes. Couper les cartes. Déjà je m'apaisais. Étendre les cartes, autant que faire se peut. En piger cinq. Mon pouls redevenait normal. Les placer en croix. Le Soleil (à gauche), le Jugement (à droite), le Monde (en haut), la Mort (en bas) et le Diable (au centre).

La Roue de fortune n'y était pas. Malaise. Le Diable avait surgi à sa place.

C'était assurément que quelque chose avait bougé. Mon destin avait bougé. Voilà. Dans la pénombre, je n'avais pas vu le mouvement. Je devais être sur mes gardes maintenant, car avec le Diable tout est possible. Tout ce qui est beau et dangereux est possible. Je me suis sentie soudainement presque enthousiaste, j'aimais l'idée qu'il *se passerait* quelque chose, c'était presque inespéré tant ma vie me semblait engagée sur un chemin droit et sans surprises.

J'ai tout ramassé en quelques secondes, encore sous l'effet de l'image très forte de ce Diable au centre de mon tirage, et je suis sortie de la cabine.

C'est en me lavant les mains que j'ai levé la tête et que je l'ai vue, la femme aux cheveux raides. C'était vrai, c'était bien vrai, merde, elle était plus jolie comme ça. Il fallait l'admettre, capituler, rendre les armes : les cheveux raides lui conféraient un air sexy qu'elle ne s'était jamais connu avant.

Cette femme, était-ce moi en mieux ? Ou pas moi du tout ? Ou juste une autre version de moi ? Ma mère savait-elle mieux que moi qui j'étais ?

Je me détestais quand je tombais dans ce genre de questionnement narcissique.

J'ai repensé au parfum dans mon sac, acheté l'après-midi même. J'avais très envie de l'essayer.

Je connaissais des gens sans enfant que l'odeur de la poudre pour bébés émouvait aux larmes. J'étais immunisée contre l'effet que peuvent avoir, sur les femmes en âge de procréer, les odeurs douces, légères, tendres de couches Pampers et de savon rose pour la lessive. Ce qui m'émouvait, moi, depuis que mes matins avaient changé, ce qui me rendait presque pathétique, moi, depuis que la voix grave ne me disait plus «je t'aime», c'était les parfums des hommes. Au travail, je poursuivais en douce mes collègues, je cueillais dans leur sillage les effluves généreux qu'ils semaient. Il m'était arrivé, une fois, de retenir mes larmes tant un parfum m'avait bouleversée. Un visiteur, qui était longuement resté à la galerie pour remplir quelque papier, avait laissé derrière lui une odeur qui m'avait fait tourner les sangs.

«Une odeur de chairs étrangères qui se rencontrent.» Je m'étais dit ça, dans le soleil de cet après-midi-là, un soleil chaud de septembre à travers les grandes vitrines de la galerie: «Voilà une odeur de chairs étrangères qui se rencontrent.»

À partir de ce moment, cette odeur est devenue pour moi l'odeur de la sensualité. Elle m'obsédait. Je voulais la revivre. Revoir les images qu'elle provoquait en moi. Je l'ai beaucoup cherchée dans les pharmacies... sans succès. Comment retrouver un parfum dont on ne connaît pas le nom, sinon en ouvrant tous les flacons?

Puis cet après-midi, à La Baie, tandis que ma mère essayait des chapeaux, je traînais dans le rayon des parfums pour hommes, par pur réflexe masochiste, je suppose... Et voilà que soudain elle était là, je l'avais reconnue. L'odeur. Elle était venue jusqu'à moi. Ç'avait été une caresse un peu brusque. Ce n'était pas un parfum doux, non, non, c'était un parfum de corps qui se veulent depuis longtemps. Un parfum de désordre, de vêtements qu'on arrache, de mains qui s'emprisonnent, se retiennent, se libèrent et recommencent, un parfum de bouches qui luttent pour s'attraper fermement. J'avais suivi sa trace. Il était tout près, à portée de main. Une gentille dame en aspergeait des bouts de carton qu'elle distribuait généreusement.

Antaeus. C'était donc ça son nom.

La dame, voyant mon intérêt pour son flacon, s'était empressée de m'expliquer qu'Antaeus, le bel Antaeus, était l'invincible fils de Poséidon et Gaïa.

« Antaeus aimait forcer les étrangers qui avaient eu l'audace de passer sur ses terres à lutter avec lui », avait-elle ajouté, au comble de l'excitation.

Voilà, il n'y avait que Chanel pour mettre une odeur exacte sur un mythe.

Je n'avais pas réfléchi un instant. Je m'étais précipitée à la caisse avec un flacon.

Là, dans les toilettes du restaurant, j'ai retiré le bouchon noir et j'ai aspergé, aussi légèrement que possible, mes poignets.

L'odeur, puissante, s'est aussitôt propagée sur moi et dans toute la salle. Quelqu'un arrivait, j'entendais des pas dans l'escalier. Une femme a poussé la porte brusquement, puis a ralenti le pas en passant près de moi, l'air étonné. Son étonnement était compréhensible : Antaeus aurait dû se trouver dans les toilettes des hommes.

Ma mère grimaçait quand je l'ai rejointe à la table. Ce n'était pas une surprise. Et je savais déjà ce que ça voulait dire : elle n'aimait pas le menu. Ma mère ne s'habituait pas à la vraie cuisine. Elle m'a laissée enlever mon manteau et m'asseoir devant elle avant de se pencher un peu vers la droite et de regarder longuement un point jaune à l'horizon. Elle avait répété la scène, ça se voyait. J'avais deviné ce qu'elle tentait de m'exprimer : elle avait envie de traverser au restaurant Saint-Hubert, juste à côté.

« N'y pense même pas, maman. Trouve quelque chose que tu aimes dans ce menu, il doit bien y avoir quelque chose que tu aimes dans ce menu. »

Le garçon nous a apporté des verres d'eau en nous demandant si nous étions prêtes à commander. Nous ne l'étions pas.

— Je prendrais quand même un verre de rouge, ai-je décidé. Un vin généreux, fort en alcool.

— J'ai un très bon Saint-Émilion qui…

Il allait se lancer dans une extraordinaire description de sa carte des vins. Je pressentais qu'il avait du talent. J'ai mis ma main sur son bras.

— Merci, c'est gentil, je ne veux pas la description de vos vins… Je n'y connais strictement rien de toute façon. Je veux juste un verre de bon vin, un vin dont je vais me rappeler toute ma vie. Si vous arrivez à me faire retenir le nom d'un vin, vous êtes un champion.

— Votre budget ?

— Ça fait deux jours que je traîne dans les magasins. Ce soir, je soupe à crédit. Donc il n'y a aucune limite. Si c'est nécessaire, je ferai un appel pour faire augmenter la marge.

Je savais comment redonner à ma mère sa bonne humeur, elle adorait les blagues sur l'argent, le crédit et tout ce qui était lié à nos extravagances matérialistes. Nous étions toutes les deux de piètres gestionnaires. Nous dépensions frénétiquement dans les boutiques toute l'année durant, nous encourageant l'une l'autre à nous ruiner pour nous couvrir de luxe. Depuis que j'étais adulte, nous menions une joyeuse bataille, inutile par ailleurs, à savoir laquelle de nous deux était la plus riche.

Nous étions hilares. Le serveur a tourné les talons, ne comprenant pas ce qui nous faisait tant rire dans ces taquineries débiles. Comment lui expliquer que ce rire avait commencé il y avait si longtemps que nous ne savions pas nous-mêmes où il trouvait sa source ?

Ma mère ne voulait pas d'entrée. Même pas une soupe. C'était sa façon de bouder. Je n'en faisais pas de cas. Elle a commandé un steak frites et un café. J'ai fait exprès de prendre le menu du soir, avec les quatre services. Je voulais que ce soit long. Je voulais l'exercer à la patience. Il m'arrivait des fois, comme ça, d'inverser les rôles, de vouloir l'éduquer.

J'avais presque terminé mon premier verre de vin quand mon entrée a été servie. Ma mère mangeait du pain et piochait dans mon assiette. Nous faisions l'inventaire de tous nos achats, de ceux qu'il nous faudrait faire encore avant Noël. Nous étions satisfaites de certaines économies. De certaines tentations auxquelles nous n'avions pas cédé. Puis ma mère m'a souri, heureuse, pour me répéter encore : « Ça te change tellement, les cheveux raides ! »

C'est à ce moment qu'il est entré.

Il était très grand. Chemise noire, cravate noire, manteau noir, peau noire, yeux bleus.

Oui, yeux bleus.

Il ne restait dans ce restaurant qu'une table libre, et c'était la table à côté de nous. En fait, il l'avait réservée. Le serveur l'a éloignée de nous encore de quelques millimètres pour marquer une distance psychologique, et l'homme s'est assis à côté de moi en enlevant son manteau. Tout ça d'un seul et même geste. Élégant et agile, le geste.

Il était si près qu'il nous était impossible de converser, ma mère et moi, sans l'inclure. Il faut dire qu'il se tendait vers nous, toute sa personne nous interpelait. Visiblement, il n'avait pas envie de manger seul ! Il a souri avec un air taquin en s'exclamant : « Nous devrions faire connaissance, mesdames. Après tout, nous allons partager un moment important ! »

Il s'appelait Régis-Victorin Garcia-Touré. Je le jure sur ma tête, c'était vraiment son nom. J'ai plus ou moins articulé le mien. On aurait dit que je ne m'en rappelais pas.

Je lui ai présenté ma mère. Je voyais bien à son air, à son attitude, qu'elle avait remarqué elle aussi que nous étions en présence d'un spécimen rare, un spécimen qui méritait qu'on l'accueille avec chaleur. Ma mère aimait les beaux gars, elle les avait à l'œil. À soixante-cinq ans, elle déclarait à qui voulait l'entendre qu'elle n'avait jamais été célibataire pendant plus d'un mois dans sa vie… Pour moi, ce calcul ne faisait pas de doute. Ma mère était une jolie femme, elle prenait soin d'elle-même. Jamais je ne l'avais prise à négliger son apparence. Un jour, un homme à qui je l'avais présentée m'avait soufflé dans le creux de l'oreille : « Prie pour être aussi belle que ta mère quand tu auras son âge. » Ça voulait tout dire.

Régis-Victorin, lui, n'avait pas d'âge. Il flottait entre les âges. Il devait être né un peu avant moi, un peu après ma mère. De toute façon, il s'était assis à côté de moi. Il avait choisi son camp.

Ses mouvements étaient larges, tendres, rythmés. J'ai compris les raisons de son extraordinaire aisance : il était danseur et chorégraphe. Il avait travaillé sur un spectacle à l'affiche. Il avait un programme dans sa poche, et sa photo dans le programme, avec toute l'équipe de création :

— Tu vois, c'est moi !

Il avait l'air content, comme un enfant.

— J'adore faire ça, c'est un si beau métier. Et toi, raconte-moi, que fais-tu dans la vie ?

— Elle est surtout mère, s'est empressée de répondre ma génitrice adorée. C'est son métier le plus beau et le plus important. Elle le fait bien.

Ma mère était toujours fière de dire que j'avais fait des études en arts à Montréal et que je travaillais pour une galerie importante dans ma région, où j'étais revenue vivre, et taratati, et taratata. Ce soir-là, tiens donc, j'étais surtout, j'étais d'abord et avant tout, une mère.

— Elle a trois enfants, s'est-elle sentie obligée de préciser.

Régis-Victorin n'a pas cessé de sourire, il a même eu l'air de trouver ça absolument génial, comme si c'était exactement ce qu'il souhaitait entendre.

— Tu ne dois pas sortir danser très souvent alors ?

— Danser ? Danser... je ne sais même plus ce que ça veut dire !

— Ce soir, je vais dans un club de salsa. J'aime bien la salsa. La salsa, c'est beau.

— Je ne sais pas danser la salsa. Je ne connais aucune danse... Je pense que je te gâcherais la soirée.

— Au contraire ! Ça me ferait plaisir de t'apprendre. Je suis un très bon professeur.

— Un professeur de salsa ?

— Un professeur. Professeur de tout ce que tu aimerais apprendre. Qu'est-ce que tu aimerais apprendre ?

Il a éclaté de rire. Un beau rire franc, grave, un rire d'homme joyeux. J'ai rougi, bien sûr, j'ai rougi.

— Mmmm... je ne suis pas certaine qu'il y ait de l'espoir.

— Quelle bonne idée ! J'adorerais apprendre à danser la salsa !

C'était ma mère qui avait dit ça. « J'adorerais apprendre à danser la salsa ! » Pff...

La joie de vivre de notre nouvel ami me contaminait. Je posais des questions, toutes les questions qui me passaient par l'esprit. Quels pays, quels spectacles, quand, ses origines, ses projets, et ainsi de suite. Il avait fait le tour des théâtres importants du monde.

Ma mère gardait l'air sceptique, l'air suspicieux de la femme à qui on ne la fait pas. Ma mère est toujours méfiante devant le récit d'une existence extraordinaire. Elle me rendait nerveuse.

J'avais entamé le poisson, et les petits légumes parfaits qui venaient avec. J'ai commandé un deuxième, puis un troisième verre.

Aussi discrètement que possible, j'ai glissé mon tarot de la poche de mon manteau jusque dans mon sac et me suis excusée. Régis-Victorin m'a regardée m'éloigner, j'en suis certaine. Son regard m'a suivie, je pourrais le jurer. Mon dos brûlait.

Le trajet jusqu'aux toilettes m'a semblé interminable : j'avais bu trop vite, je n'avais pas l'habitude. Je craignais de croiser quelqu'un, de ne pas savoir l'éviter. J'ai longé le mur de l'escalier pour me donner une contenance.

Les toilettes étaient désertes.

Dans le miroir, il y avait cette femme aux cheveux raides, qui était probablement moi, moi en mieux, puisque je ne me rappelais pas qu'un homme m'ait draguée dans les dernières années. D'ailleurs, est-ce qu'un homme m'avait déjà draguée une seule fois dans ma vie ? Le vin embrouillait ma mémoire et alimentait mon goût pour le mélo. Je lui ai trouvé un rouge à lèvres dans le fond de son sac, à cette femme, un rouge à lèvres qu'elle n'avait jamais utilisé car elle ne mettait jamais de rouge à lèvres. C'était sa mère qui le lui avait donné. Elle ne l'avait jamais essayé mais n'osait pas le jeter. « Tu devrais porter ce rouge à lèvre. Tu as de belles lèvres. Il faut les mettre en valeur.» Le rouge à lèvres avait aussitôt pris le chemin du fond du sac et y était resté pendant de longs mois, inutile, oublié. Je lui ai donc appliqué, à cette femme vacillante dans le grand miroir, une épaisse couche de ce rouge si rouge, si rouge qu'il en était vulgaire.

Puis j'ai remonté les bretelles de son soutien-gorge, qui tendait à perdre du tonus, pour améliorer un peu le spectacle que donnait à voir le décolleté, un peu sage, de son chemisier. Elle s'en est voulu, cette femme, de ne pas avoir acheté le soutien-gorge magique qui fait une poitrine d'enfer, et que sa mère lui avait tendu au moins vingt fois au cours des deux derniers jours, de boutique en boutique, en répétant toujours la même phrase: «Je te dis que tu devrais l'essayer! C'est extraordinaire comme il fait un beau décolleté. Et il n'est pas si cher que ça!»

La femme aux cheveux raides n'a même pas pensé à s'enfermer dans un cabinet pour tirer le Diable – parce qu'assurément elle tirerait encore le Diable – puisque le Diable, bien voilà, il était à l'étage, en chair et en os, dans la lumière et le désordre joyeux du restaurant.

Il a souri en me voyant revenir. Il s'est écrié:

— Ma belle! Tu es la reine de Montréal! Tu fais mourir le froid avec tes lèvres rouges!

— Bon, il est tard, on va rentrer, nous, hein?

Ma mère était au comble de l'exaspération. Elle perdait le contrôle. Je voyais bien que ça l'irritait, l'effet brûlant de ce rouge à lèvres.

— On s'en va? insista-t-elle.

— Mais non! Je n'ai pas bu mon verre, regarde! Je n'ai même pas eu mon dessert encore! Tu ne veux pas un autre café?

— Bon, je vais aux toilettes. C'est par où ?

Dès que ma mère a disparu, Régis-Victorin a insisté :

— Alors ? Tu vas venir danser avec moi ?

— Je ne peux pas, ma mère veut nous accompagner.

— Pas de problème ! Je lui trouverai un danseur ! Je connais tout le monde là-bas.

Comment lui expliquer que je ne pourrais pas m'abandonner à sa spectaculaire virilité sur une piste de danse, me trémousser maladroitement contre lui, me soumettre à ses mains expertes, tout ça et probablement beaucoup plus, sous le regard de ma mère ?

Il a saisi ma main pour l'embrasser. Une fois, deux fois, trois fois. Plus longuement, la troisième fois.

Je me consumais.

— Tu n'as pas senti ?

— Quoi ?

— Mon parfum.

— Non. Qu'est-ce qu'il a, ton parfum ?

— C'est un peu bizarre… Je porte un parfum pour hommes.

Il a repris mon poignet pour le sentir consciencieusement.

— Ah ! Il est délicieux, ce parfum… On sent bien qu'il est pour hommes.

— C'est sexy, cette odeur.

J'ai rougi. J'avais dit « sexy ». J'avais dit : « C'est sexy cette odeur. » Je m'étais révélée, bien trop révélée.

Ma mère est revenue si vite que je me suis demandé si elle avait pris le temps de se laver les mains…

— Tu n'as pas encore eu ton dessert ?! Le service est lent ici, ça n'a aucun sens !

— Tu peux rentrer, maman, tu connais le chemin. C'est en ligne droite. Je m'occupe de l'addition.

— Non, non, non.

— Je viens te rejoindre tout de suite de toute façon.

— Non.

Quand ma mère disait non, c'était comme si Dieu avait imposé sa volonté : il n'y avait rien à redire.

— Venez donc danser avec moi, toutes les deux !

— Bonne idée ! a répondu ma mère avec beaucoup trop d'enthousiasme.

— Non, ai-je décidé, ce n'est pas possible.

La tension a monté d'un cran. Ma mère m'a foudroyée du regard. Je le lui ai bien rendu. Régis-Victorin n'avait toujours pas son dessert, lui non plus. Il en a profité pour filer aux toilettes à son tour. J'ai essayé de ne pas lever les yeux, de ne pas le regarder s'éloigner, mais ç'a été impossible de résister. Le voir marcher, c'était une fête foraine. Un coup de tambour à chaque pas. Des rubans multicolores qui flottent au vent. Des cadeaux pour tout le monde et la valse musette. Ses fesses magnifiques de Nègre, de danseur nègre, il fallait être folle pour ne pas avoir envie de s'y accrocher.

— Pourquoi tu ne veux pas qu'on aille danser avec lui ?

— Non, laisse faire. J'ai mal aux pieds.

— Tu as mal aux pieds ? Depuis quand ?

— Tu le sais, maman, j'ai toujours mal aux pieds. Je n'ai pas les bonnes chaussures pour danser.

J'ai demandé l'addition, le serveur a compris que je voulais mon dessert. J'ai fini mon troisième verre d'un trait.

— Finalement, tu aurais dû commander une bouteille. Ç'aurait coûté moins cher.

— Il n'y a pas à dire, tu sais compter.

Après, Régis-Victorin n'a plus insisté. Nous nous sommes dit au revoir un peu précipitamment, dans le brouhaha des additions qui se règlent, des desserts qui se mangent à moitié parce que plus personne n'a faim, des client qui attendent une place, des serveurs qui ramassent les couverts en disant, en une seule et même phrase parce qu'ils en ont plein les bras: «Vous voulez autre chose voici l'addition merci bonsoir.»

Il m'a quand même aidée à mettre mon manteau, Régis-Victorin, et j'ai été prise d'un fou rire parce qu'il a un peu cherché où étaient les manches, et le collet, et les épaules. Et j'ai senti sa main frôler la mienne. Il a même tiré sur ma poche pour me faire la bise. Ma mère n'a rien vu, elle se battait avec la machine de paiement automatisé qui rejetait sa carte. Il a voulu être charmant avec elle, l'aider, elle aussi, à enfiler son manteau. Elle a reculé d'un pas. «Non, non, merci, je suis parfaitement capable de mettre mon manteau.»

J'ai suivi ma mère jusqu'à la porte et, avant de disparaître complètement dans la nuit montréalaise, où il neigeait-pleuvait tant maintenant que j'allais assurément retrouver ma vraie nature de brune frisée, je me suis retournée vers lui.

Il n'était plus là.

En quelques secondes, Régis-Victorin avait disparu.

Nous n'avions pas atteint le coin de la rue Saint-Laurent que, déjà, ma mère avait sauté dans le vif du sujet.

— Pourquoi tu ne voulais pas qu'on aille danser? Ç'aurait été chouette d'aller danser la salsa dans un bar, à Montréal... Ça nous aurait fait un beau souvenir mère-fille, il me semble.

Elle m'exaspérait.

— Je ne veux pas sortir dans un bar avec ma mère.

Elle a bondi; je l'avais piquée au vif.

— Tu ne veux pas sortir dans un bar avec ta mère? C'est quoi cette histoire? Tu as peur que je te fasse honte? Je sais danser, tu sais.

— Non, maman, j'ai peur que tu te moques de moi.

Elle ne comprenait pas pourquoi j'avais peur qu'elle se moque de moi. Je ne savais pas quoi lui dire. Comment lui expliquer ça. Parce que ce n'était pas exactement ça, la raison. La raison, la vraie raison, c'était que pour moi, aller dans un bar, depuis toujours, que ce soit avec des amis ou un homme ou je ne sais avec qui ni pourquoi, c'était un moment intime. « Intime » signifiait pour moi « en dehors du regard de ma mère ». Dans un bar, dansant la salsa avec Régis-Victorin devant ma mère, et peut-être même partageant mon beau danseur avec elle, je me serais sentie aussi gênée que nue au milieu d'une foule en tenue de soirée.

En plus, elle n'avait pas eu la délicatesse de me laisser l'inviter à cette soirée où j'avais d'abord été invitée, moi. Elle s'était imposée. Mais ça, je n'ai pas eu le courage de le lui dire, parce qu'elle n'avait pas le courage de l'entendre.

La dernière chose qu'elle a dite avant de s'endormir ce soir-là, au douzième étage de l'Hôtel des Gouverneurs, en se tournant vers moi, c'est :

— De toute façon tu es mariée.

— C'est vrai, maman. Je ne suis pas une femme libre…

Elle a dégluti.

— … mais je ne suis plus une femme aimée.

* * *

La route était belle, le lendemain, dans le soleil froid de décembre. La neige avait fondu. Six cents kilomètres nous séparaient de la maison. J'avais l'habitude de traverser le pays, ça ne me faisait pas peur, ces centaines de kilomètres.

Je n'avais pas tiré les cartes une seule fois depuis la veille, dans les toilettes du restaurant. J'arrivais à être presque sereine. Mon pouls se maintenait et les pensées noires ne collaient pas au paysage. J'aurais presque pu dire, sans exagérer, que j'étais joyeuse.

Ma mère, elle, était d'humeur plutôt sombre. Elle n'avait pas beaucoup parlé depuis le réveil. Je ne creusais pas pour savoir ce qui la minait, je m'accrochais à mon fragile équilibre.

Quand nous avons eu parcouru un peu plus de la moitié du chemin, je me suis écriée, en frappant sur le volant :

— Merde ! J'ai laissé mon ordinateur dans la chambre ! À l'hôtel !

— Impossible, voyons ! Tu ne peux pas avoir fait ça !

— Je te le jure. Ça vient de me revenir. Tout d'un coup... Je l'ai déposé sur le lit et je ne l'ai pas repris... et nous sommes parties.

— Dépêche-toi d'appeler l'hôtel.

J'ai garé la voiture devant une station-service, je suis sortie avec mon téléphone, j'ai regardé mes courriels, puis j'ai fait un appel. Deux appels. Ma mère tapait du pied dans la voiture.

— Ils l'ont trouvé. Je vais retourner à Montréal demain. Ils vont le mettre en sécurité.

— Mais ça n'a pas de sens ! Ils n'ont qu'à l'envoyer par messagerie !

— Pas question, maman. C'est l'ordinateur de la galerie. Tout est là-dedans. Tu t'imagines si je le perdais ? Si on me le volait ? Ce serait une catastrophe !

— Je viendrai avec toi.

— Non.

— Tu vas être fatiguée et je me sens coupable. Je pensais avoir bien fait le tour de la chambre avant qu'on parte !

— Non. Je vais dormir là-bas. Prendre mon temps. Je ne peux pas faire l'aller-retour en une journée. Ce serait mieux si tu aidais à la maison. Benoît va être complètement découragé que je reparte et que je le laisse encore deux jours seul avec les enfants... Il doit en avoir plein les bras.

— Je veux vraiment revenir avec toi.

— Non. Pas question.

J'avais peut-être été trop sèche... Elle s'est tournée vers moi, suspicieuse, pour étudier mon profil.

— Tu es certaine que cet ordinateur n'est pas dans la voiture ?

— Tu veux vérifier ?

Au retour du restaurant, la veille, en cherchant frénétiquement mon jeu de tarot dans la poche de mon manteau, j'avais mis la main sur la carte de visite que je ne me rappelais pas du tout avoir prise.

Au verso, à l'encre bleue, il y avait un message de Régis-Victorin : « Ma belle, je suis à Montréal pour encore quelques jours. Je t'attends. » Avec son adresse courriel.

Le matin, pendant que ma mère était sous la douche, je m'étais empressée de lui écrire. Il était collé à son écran, il m'avait répondu tout de suite. Nous avions pris rendez-vous. Il m'attendrait au théâtre le lendemain soir. Il avait deux billets. « Après, nous irons quelque part », avait-il aussi écrit.

J'avais glissé l'ordinateur sous un lit pour éviter que ma mère me voie le laisser dans la chambre.

— Tu voudrais que j'étire tes cheveux, demain matin, avant que tu reprennes la route ? Tu es tellement plus jolie quand tu as les cheveux raides. Je vais venir avant le déjeuner. Il ne faut pas que tu partes trop tard. Je vais m'occuper d'envoyer les enfants à l'école.

Je l'ai regardée du coin de l'œil. Je ne savais pas trop si elle croyait à mon histoire. Je mentais peut-être mal. Je n'avais pas l'habitude de mentir. J'avais l'impression que cela déformait mes traits.

J'ai baissé les bras, moi aussi, pour que nous soyons quittes :

— Oui, oui, tu as raison, je suis vraiment plus jolie quand tu me coiffes avec ton fer plat. Il est super, ce fer. J'en voudrais un pour Noël, si ton offre tient toujours… Tu sais quoi ? J'irai acheter ce soutien-gorge que tu n'as pas arrêté de me montrer… Tu voudrais que je te rapporte quelque chose aussi ?

MAEVA

India Desjardins

Je ne verrai jamais ton visage.

Je me le répète en m'observant dans le miroir. Je ne vois qu'une image floue de moi à travers les larmes que je retiens. Je ne veux pas sortir d'ici et qu'on remarque que j'ai pleuré. Je ne veux pas retourner à la table et que mes amies me demandent ce que j'ai et que tout se transforme en psychodrame. Je ne voudrais surtout pas qu'elles croient que c'est leur faute. Je dois seulement me ressaisir.

J'ai lorgné longtemps du côté des toilettes en attendant qu'il n'y ait personne. Pour pouvoir m'y réfugier. Retenant la boule coincée au fond de ma gorge, ne pouvant plus participer à la conversation, réduite au silence parce que rien de ce que je dis n'est désormais pertinent pour les filles qui m'entourent.

Rachel, Chantal, Valérie et moi nous sommes rencontrées au début de notre vingtaine. Ou c'était peut-être au milieu. Je ne me souviens plus trop. On dirait qu'à partir d'un certain moment, on a commencé à dire « Ça fait dix ans qu'on est amies », et on a continué à dire « Ça fait dix ans » année après année. Comme si, à partir de dix ans, on arrondit jusqu'à ce qu'on en soit à un autre chiffre rond.

En réalité, je crois que ça fera bientôt quinze ans, peut-être même dix-sept.

Depuis toutes ces années, nous nous rencontrons régulièrement pour souper. Bien sûr, à l'époque, on se voyait une fois par semaine. Maintenant, c'est une fois par mois, quand on a le temps. Quand elles ont le temps, devrais-je préciser. Moi, j'ai davantage de temps libre qu'elles.

Au début de notre vingtaine, nous parlions de notre célibat. Nous comparions nos anecdotes concernant les gars, pour comprendre leur façon d'agir avec nous. « Il ne m'a pas rappelée pendant une semaine, mais quand il l'a fait, il m'a dit qu'il s'était ennuyé. *Bullshit ?* Ou il a réalisé à quel point j'étais importante pour lui, mais à retardement ? » Évidemment, à travers nos comparaisons, nous avons fini par comprendre. Par devenir expertes en la matière. Nous avons grandi. Nous avons évolué. Et aujourd'hui, quand on entend des filles dans la vingtaine se poser les mêmes questions, on se regarde, complices, et on se dit : « *Been there, done that.* » Un jour, tu apprends que lorsque tu rencontres la bonne personne, tu ne te poses pas toutes ces questions. Tout coule.

Valérie a été la première à rencontrer quelqu'un avec qui « tout coule ». Jean-François. Encore aujourd'hui, je ne sais pas trop ce qu'il fait dans la vie, car lorsqu'elle parle de son travail, j'écoute d'une oreille, trouvant ces informations superflues dans tout le lot de ce qu'on a à se raconter. Elle a deux enfants. Sabine et Justin.

Rachel a ensuite rencontré Philippe, un ami de Jean-François. Ç'a commencé dans les toilettes à un party chez Valérie, et ils ne se sont plus quittés depuis. Ils ont deux enfants aussi. Deux filles, Laurie et Clémentine. Clémentine est née il n'y a pas si longtemps. C'est d'ailleurs notre première sortie depuis le début du congé de maternité de Rachel.

Pour Chantal, ç'a été plus long avant de rencontrer l'homme de sa vie. Elle et moi avons longtemps été les célibataires de la gang. Nous échangions des regards quand les deux autres filles parlaient bébés parce que, même si leur conversation nous intéressait, on était parfois perdues avec tous ces termes techniques. Puis, Chantal a rencontré Maxime il y a quelques mois. Et ce soir, elle nous a annoncé qu'elle est enceinte.

Nous étions tout émues d'apprendre ça ! Quelle bonne nouvelle ! De nous quatre, Chantal était celle qui n'avait jamais été trop sûre de vouloir un enfant. Elle trouvait bizarre l'idée qu'un « *alien* » puisse pousser dans son ventre. Et elle disait tenir à sa liberté. Elle avait ce discours des femmes qui prétendent avoir des projets plus importants avant de penser à ça. Il y a quelque temps, elle nous a confié qu'elle commençait à y penser. Ses autres projets sont devenus soudainement moins importants et, ce soir, quand elle nous a appris la bonne nouvelle, nous avons toutes poussé un « hiiiiiiiiiiii » bien senti en lui levant nos verres.

Rachel et Valérie lui ont aussitôt proposé de lui donner des jouets et des vêtements qu'elles n'utilisent plus. Ensuite, elles y sont toutes allées de leurs « trucs et recommandations de la parfaite future maman ». Je les écoutais en souriant, sans pouvoir vraiment ajouter mon grain de sel. J'ai eu ma leçon une fois et je n'ai plus recommencé. C'était un soir, il y a quelque temps, où Valérie parlait de Justin. Elle disait qu'il faisait constamment des crises pour boire du jus d'orange avant de se coucher et qu'elle avait abdiqué. Je lui ai dit : « Je pense que tu pourrais quand même lui dire non. Tu n'as pas peur qu'il commence à te mener par le bout du nez ? » Elle a simplement dit : « Tu ne peux pas comprendre, tu n'as pas d'enfant. » C'est arrivé une autre fois, avec Rachel. Je lui disais que je comprenais les femmes qui décident de ne pas allaiter. Et elle m'a répondu : « Tu ne peux pas savoir tant que tu n'as pas d'enfant. »

J'ai vite compris que, dans la vie, on peut avoir de l'empathie pour les gens malades, pour les itinérants ; on peut avoir une opinion sur la politique, sur la religion, sur la guerre ou sur n'importe quoi, mais que quand il s'agit d'enfants, on ne peut avoir ni empathie ni opinion tant qu'on ne l'a pas « vécu ». Tant qu'on n'en a pas eu un et expérimenté soi-même toutes les situations. Ce n'est qu'à ce moment qu'on a le droit de s'exprimer. Sans ça, tout ce qu'on dit n'a aucune valeur aux yeux de ceux qui vivent l'expérience unique d'être parent.

J'ai donc appris à me taire pendant ces discussions. Ou à abonder dans le sens de mes interlocutrices. « Oui, tu as raison. » « Oui, suis ton cœur, l'instinct maternel, y a que ça de vrai. » « Dre Nadia ? Pfff ! A-t-elle des enfants pour prodiguer tous ces conseils ? Un doctorat, ça ne vaut pas un cœur de mère. » J'ai vite compris qu'une mère, ç'a besoin de se faire rassurer, pas de se faire confronter. Elle se sent déjà suffisamment coupable comme ça.

Ce soir, j'ai donc fait la même chose. J'ai félicité. J'ai « hum-humé ». J'ai abondé dans le même sens que tout le monde. J'ai proposé à Chantal qu'on aille magasiner des vêtements de maternité ensemble, la seule expertise que je puisse vraiment lui offrir étant mon regard avisé sur son look des prochains mois. Et puis, pendant que mes amies parlaient des meilleurs gynécologues et du meilleur hôpital où accoucher, j'ai commencé à penser qu'il ne restait que moi. Et que, bien malgré moi, j'étais devenue cette femme qu'on invite aux fêtes de famille pour briser sa solitude et à propos de laquelle les enfants se demandent : « Pourquoi matante Nadine n'a jamais eu de mari ni d'enfant ? »

Juste avant que je puisse venir me réfugier ici, les filles ont arrêté de parler, m'ont regardée et m'ont demandé :

— Pis ? Toi, Nadine ? Quoi de neuf ?

Ça m'a pris quelques instants avant de répondre, car je ne savais pas trop quoi raconter. Mon répertoire d'anecdotes n'est pas aussi varié que le leur. Puiser dans ce que je vis ? Ces derniers temps, l'achat d'un nouveau Mac, des cours de yoga, quelques problèmes à la job, rien qui puisse intéresser qui que ce soit à part ma propre mère qui m'écouterait de toute façon d'une oreille distraite en faisant le ménage. J'y suis allée pour les cours de yoga.

— J'ai commencé le yoga et j'adore ça.

— Le yoga, c'est un peu trop ésotérique pour moi, a dit Chantal.

— T'as déjà essayé ? ai-je demandé.

— Non, mais…

— Ma prof n'est pas ésotérique, elle a plus une approche sportive.

J'ai commencé à dire que ça me faisait du bien, que c'était la première fois que je trouvais un sport intéressant et que ça me faisait sortir un peu.

— Euh… es-tu vraiment en train de nous parler de yoga ?… a soudain demandé Rachel avec un demi-sourire.

Évidemment, je suis consciente que ce n'est pas un sujet palpitant. Je n'ai pas fait de nouvelles rencontres. La job n'intéresse personne. Je n'ai pas voyagé dans les derniers mois. Et surtout, je n'ai pas d'enfant. Pas de situation problématique à exposer qui exigerait l'expertise des autres mères. Ni d'anecdotes cutes qui inspireraient les autres à raconter des histoires encore plus cutes. Rachel n'a pas voulu être méchante. Elle a lancé ça comme une boutade, comme on le fait souvent, une blague qui normalement m'aurait fait rire. Mais ce soir, ça m'a fait ressentir un pincement au cœur. J'aurais voulu rétorquer que même si ça ne me rejoint pas toujours, leur conversation, leur réalité, je les écoute quand même. Mais je n'ai rien dit. De peur de les froisser. Si je perds mes amies, que me restera-t-il ? J'ai donc attendu le bon moment pour venir ici. Dans les toilettes. Tenter de reprendre mon souffle. Faire une pause pour m'éloigner un peu de cette conversation où je ne me sens pas la bienvenue. J'aurais pu aller dehors mais il fait froid, et comme je ne fume pas ç'aurait paru bizarre. Elles auraient compris que quelque chose me chicote, et je ne voulais pas gâcher le moment de Chantal.

Je prends une petite serviette et j'éponge mes joues et mon front avec de l'eau froide. Puis, mes yeux se remplissent de larmes sans que j'y puisse quoi que ce soit. Je ne peux pas sortir comme ça. Je dois me calmer. Je prends quelques bouffées d'air. Je n'aime pas prendre des bouffées d'air dans les toilettes. Ça ne sent jamais très bon. Ça sent le parfum qui camoufle d'autres odeurs. Je balaie la pièce du regard pour trouver un objet sur lequel porter mon attention, pour me changer les idées. Peut-être une pub comique qui pourrait me faire rire ? J'aperçois par terre une carte. Je la prends. Du tarot, ou quelque chose comme ça. Je lis « La Roue de fortune ». Ça ne veut absolument rien dire pour moi. Je la place bien en vue sur le comptoir au cas où quelqu'un l'aurait perdue et la chercherait.

Mais je continue malgré moi de fixer la carte. Et j'ai soudainement envie de te parler. Toi. Qui existes peut-être dans une autre dimension. Qui te demandes peut-être pourquoi je n'ai pas réussi à te faire entrer dans ce monde. Qui n'existeras jamais, par ma faute. Il faut que je te raconte la seule histoire que je pourrai te raconter puisque je ne pourrai jamais ouvrir un livre devant toi. L'histoire de ta non-existence.

Je n'ai aucun problème de fertilité. Je ne me suis jamais fait avorter. J'ai simplement fait une série de choix qui ne m'ont pas menée à toi.

Tu te serais appelée Maeva.

Tu as eu plusieurs visages et plusieurs prénoms. Mais tu as toujours été une fille. Je ne sais pas pourquoi. Je ne saurais l'expliquer. Je n'ai pas de préférence particulière pour les filles. C'est simplement comme ça que je t'ai imaginée.

Ton premier prénom a été Amaltia. Je devais avoir dix ans quand j'ai regardé un film où le personnage s'appelait ainsi. Je m'étais dit que si j'avais une fille un jour, je l'appellerais comme ça. Ensuite, tu t'es appelée Ariel, comme la petite sirène de Disney. Jusqu'à ce que je découvre, dans ma vingtaine, que plusieurs mères avaient eu cette idée. Je ne me sentais pas encore en retard à l'époque. Je me trouvais simplement avant-gardiste avec le prénom que j'avais choisi pour ma future fille, et je me disais que je serais bien capable de t'en trouver un autre. Je souhaitais en trouver un original, avec une histoire. Aujourd'hui, tu t'appelles Maeva.

Si je t'avais conçue avec mon copain de l'époque, Mathieu, tu te serais appelée Ariel. Sauf que lorsque j'ai abordé avec lui le sujet des enfants, il m'a avoué qu'il avait d'autres plans. Je ne lui en veux pas. On était trop jeunes. Mathieu a aujourd'hui deux enfants avec une femme qui lui convient beaucoup mieux que moi.

À vingt-trois ans, après ma rupture avec Mathieu, j'ai été de tous les partys, tous les 5 à 7, tous les lancements, je me suis beaucoup amusée dans ce célibat de la vingtaine, celui où rien ne presse et où l'horloge biologique n'influence ni les comportements ni les choix.

Puis j'ai rencontré Louis. Je me souviens de m'être dit qu'il était l'homme de ma vie au moment où je lui ai serré la main pour la première fois. J'avais même appelé Rachel pour lui annoncer: «J'ai rencontré l'homme de ma vie!» Elle avait ri. M'avait trouvée un peu excessive. Mais je le sentais. Et je te jure, encore à ce jour, Maeva, je suis convaincue qu'il aurait été le père parfait pour toi. Je suis désolée de ne pas avoir insisté pour qu'on te fasse plus vite. J'étais jeune et je n'étais pas prête. Et surtout, je voulais que ton père potentiel et moi décidions ensemble du moment de ta venue. Je ne voulais pas forcer les choses. Louis et moi étions très amoureux. Il était clair pour nous que nous allions passer notre vie ensemble. Rien ne pressait. Alors nous nous sommes concentrés sur nos carrières. Nous nous disions que nous avions tout le temps. Et qu'avant d'avoir une famille, ce serait bien de trouver notre place à nous dans ce monde, afin d'être de bons guides pour vous. Je dis «vous» parce qu'on te désirait toi, mais tu aurais probablement eu un frère ou une sœur également. Nous voulions une famille. C'est seulement qu'à vingt-cinq ans, il était peut-être trop tôt. Nous voulions vous offrir la stabilité, le confort. Louis et moi en avions manqué, plus jeunes. Ça nous faisait peur, de revivre cette précarité de notre propre enfance.

Durant les années suivantes, nous nous sommes consacrés corps et âmes à notre travail. Tellement que ça nous a éloignés. Vers la fin de notre relation, nous étions presque des étrangers. Et il est parti. Si bien qu'au début de la trentaine, je me suis retrouvée célibataire, perdant, je m'en rends compte avec le recul, le seul homme avec qui j'aurais pu te faire venir au monde.

Tu aurais probablement été douée pour la musique, tout comme lui. Tu aurais aimé danser sur des chansons pop, tout comme moi. Tu aurais eu un air taquin, tout comme lui. Tu aurais eu des cheveux droits, tout comme moi, mais aurais souhaité avoir son épaisse chevelure bouclée. C'est lui qui t'aurait appris à patiner. Parce qu'il est vraiment doué pour jouer au professeur. C'est moi qui t'aurais appris la règle des «*si* qui mangent les *rais*», car ça ne rentrait pas dans la tête de ton père, et je lui aurais sûrement reproché de te donner un mauvais exemple. Il aurait toujours su quoi faire quand tu te serais blessée, alors que j'aurais eu peur du sang. Il aurait toujours su relativiser quand tu aurais été malade, alors que j'aurais été du genre à m'inquiéter pour tout. Tu aurais adoré ma lasagne. Mais tu aurais souvent insisté pour que ton père fasse ses fameux burgers sur le BBQ. On aurait collé tes dessins sur le frigo. On t'aurait raconté des histoires en prenant des voix différentes pour chaque personnage. Parce que parfois, quand on parlait de nos futurs enfants, on se disait: «On va leur raconter des histoires en prenant des voix différentes pour chaque personnage.» Des fois, on parlait de ça. C'est d'ailleurs comme ça qu'on a trouvé ton nom. Je crois qu'un matin, je lui ai parlé d'un rêve que j'avais fait, dans lequel une petite fille s'appelait Maeva. À partir de ce moment, quand on parlait de toi, on s'obstinait simplement sur l'orthographe de ton prénom. Tréma sur le *e*. Pas de tréma sur le *e*. Accent. Pas d'accent. Nous n'avons jamais tranché. Car tu n'es jamais arrivée.

Quand je repense à cette vie à côté de laquelle je suis passée, l'image qui me revient le plus souvent en tête est celle où je te donne ton bain, et ensuite Louis t'enveloppe dans une serviette avant de te faire enfiler ton petit pyjama. Et après que tu t'es endormie, on se regarde, épuisés, comme tous les parents, mais fiers. Et heureux. Et ça me rend triste.

Tu sais, peut-être que j'idéalise, au fond. C'est souvent ce qu'on fait après les ruptures. Au début, on est fâchés. Ensuite, on oublie les mauvais souvenirs pour ne conserver que les bons. Et surtout, on imagine ce qu'aurait pu être notre vie si ça s'était passé autrement.

Contrairement au célibat de la vingtaine, insouciant et plein d'espoir, celui de la trentaine se vit avec le tic-tac incessant d'une horloge qui nous annonce le décompte de notre fertilité, de notre vie de femme, comme une épée de Damoclès qu'on a constamment au-dessus de la tête. Nous en devenons folles. Nous avons si peu de temps pour accomplir ce que nous n'avons pas réussi à accomplir avant. Nous sommes piégées. Ça teinte tous nos choix. Nous cherchons l'amour en même temps qu'un père potentiel. C'est une pression énorme sur nous, sur les hommes aussi. Ils ont peur de nous. Ils nous voient arriver avec nos gros sabots et se sauvent, car ils sont terrifiés par notre horloge biologique. Agressés par son tic-tac.

Je les comprends, tu sais. Ils veulent pouvoir avoir des enfants sans pression, en toute liberté, au moment où ils l'auront décidé. Il ne faut surtout pas croire qu'ils n'en veulent pas. Ils ne veulent simplement pas faire d'erreur, ni avoir l'impression de devenir pères parce qu'ils ont été bousculés. Eux aussi, ils ont une vision romantique de la famille. Ils ont le droit à leur rêve à eux. Et leur chance, c'est qu'ils n'ont pas de tic-tac, ils ont le temps de choisir leur moment, le bon moment.

Tu sais, dans les histoires qu'on t'aurait racontées, il y a celle de Peter Pan. Celle d'un garçon qui ne veut pas vieillir et dont l'ennemi juré est un méchant pirate du nom de Crochet. Et ce pirate a lui-même un ennemi, un crocodile qu'on entend venir de loin grâce au tic-tac d'une horloge qu'il a avalée. Pendant un moment, au cœur de ma quête d'un père pour toi, j'ai cru que j'étais cette ennemie terrifiante. Je n'ai pas aimé cette image de moi. Je voulais retrouver l'insouciance de ma vingtaine, durant laquelle je ressemblais plus à une princesse qu'à un crocodile.

Il ne faudrait pas que tu croies que je suis défaitiste ou que j'ai abandonné. J'ai vraiment travaillé fort pour te trouver un père. Mais après ceux à qui j'ai fait peur, je ne sais pas pourquoi, je ne suis tombée que sur des hommes qui ne convenaient pas.

Il y a tout d'abord eu Bernard. Grave erreur de ma part. J'ai renié toutes mes valeurs en fréquentant cet homme marié et déjà père de famille. Ne me juge pas, Maeva, j'ai résisté longtemps à ses avances. Mais j'étais vulnérable. Découragée. Toujours en peine d'amour latente de Louis. Et j'ai flanché. À ma décharge, il me répétait que ça n'allait pas bien avec sa femme, et qu'il se séparerait bientôt. Tu sais, quelques années plus tard, j'ai réalisé que plusieurs hommes tiennent le même discours aux femmes qu'ils veulent pour maîtresse. Grâce à toi, j'ai pu me sortir de cette relation toxique. Et je t'en remercie. J'ai compris que Bernard ne pouvait pas être ton père. Tu ne pouvais pas venir au monde et provoquer la colère ou le rejet de quelqu'un. Je voulais que tu sois désirée. Que ton arrivée au monde soit positive. Célébrée. Alors j'ai vite mis fin à cette relation pour continuer ma quête.

Ensuite, j'ai rencontré Alex. Un gars vraiment chouette qui aurait très bien pu être ton papa. Il était super intelligent. Il gagnait bien sa vie dans le domaine du web. Il était sportif. Il aimait le plein air. Bien sûr, tu vas me dire que je ne suis pas trop du genre à faire du camping et des randonnées en montagne, et tu as bien raison. Mais je me disais qu'il pouvait être bon pour toi de découvrir autre chose grâce à lui. Peut-être qu'au fil des années, j'aurais voulu partir avec vous dans vos activités de plein air, désireuse de faire partie de vos anecdotes moi aussi. C'est pour ça que j'ai sincèrement considéré Alex. Même s'il n'était pas Louis, il était quand même très bien. Mais voilà qu'après quelques mois, j'ai appris qu'il était cocaïnomane. Je l'ignorais. Les gens qui souffrent de ce genre de dépendance ne s'en vantent pas. Ils se cachent. Quand je l'ai découvert, il m'a promis d'arrêter et je l'ai cru. Mais il n'a pas tenu sa promesse.

La suite est tout aussi déprimante. Il y a eu ce restaurateur qui était affilié aux motards, ce vendeur de voitures polygame, cet avocat à l'ego démesuré, cet agent d'immeubles qui avait déjà un enfant d'une première union et n'en voulait pas d'autres…

Au fil du temps, j'ai arrêté de raconter mes rencontres infructueuses à mes amies. Chaque fois, elles me lançaient un regard réprobateur qui signifiait qu'à mon âge, j'aurais dû être passée à autre chose qu'à l'analyse de l'échec amoureux. Que j'aurais dû avoir compris. Et trouvé le bon. Elles avaient bien raison. Mais je n'ai pas su comment.

Pourquoi je rencontrais ce genre d'hommes ? Tu sais, aujourd'hui, je me le demande encore. J'étais à la recherche d'un père potentiel pour toi, et je n'allais que vers des gens qui ne pouvaient visiblement pas l'être. Je devais, comme tout le monde, vivre ces peines d'amour, mais je manquais de temps. Il fallait que je me concentre sur les candidats à la paternité. Que je focalise sur mon véritable but.

À un moment, je me suis mise à tout analyser, à vouloir tout contrôler. Je ne laissais plus la nature suivre son cours. J'étais perdue. Mêlée. À bout de souffle. Plus le temps avançait, moins j'avais d'options. Mais tu comprends, je voulais t'offrir une belle vie. C'est pour ça que j'avais attendu avec Louis. Quel genre de vie tu aurais eu avec ses successeurs ? Aurais-tu pu, toi aussi, développer une dépendance ? Ou devoir aller visiter ton père en prison ? Aurais-tu été une enfant battue par l'un, malmenée par l'autre, mal élevée, rejetée ? Quelle influence auraient-ils eue sur toi ? Je ne pouvais me résigner à te faire subir l'une ou l'autre de ces vies-là. Pas pour ces battements étranges de mon cœur pour des hommes indignes de toi.

Ont donc suivi tous ceux que je n'ai pas aimés. Ceux à qui je n'avais rien à reprocher, qui auraient été parfaits, mais que, pour toutes sortes de bonnes ou de mauvaises raisons, je n'aimais pas. Je ne faisais qu'imaginer un avenir morne avec eux. Un quotidien où j'aurais été malheureuse. Où j'aurais été aimée sans être capable d'aimer en retour. Je ne voulais pas que tu me voies méchante avec ton père. Je ne voulais pas que tu me voies dépourvue d'amour pour la personne avec qui je t'aurais mise au monde. Tu m'aurais détestée, et ça, je n'aurais pu le supporter.

Quand j'étais petite, je rêvais à la même chose que toutes les autres petites filles. Je rêvais au grand amour. À l'amour heureux qui dure toujours. Puis, je me suis mise à avoir d'autres rêves. À prendre des détours pour arriver à celui-là, que je voyais comme mon accomplissement suprême de femme. Mais je sentais que ta venue surviendrait à la ligne d'arrivée. Après que j'aurais suivi le chemin pour faire de ma vie un cocon. Une fois que j'aurais une carrière où me réaliser. Une maison parfaite pour t'accueillir. Aujourd'hui, j'ai tout ça. Mais je n'ai pas réussi à trouver quelqu'un avec qui te fabriquer.

Je suis à cet âge où mon corps ne vaut plus rien, parce qu'il ne peut plus donner la vie. Ce n'est pas ce que je pense, mais c'est ce qu'on me fait ressentir. Surtout lorsqu'on me demande si j'ai des enfants et que, honteuse, je réponds que non. J'ai honte. Oui, j'ai honte. Parce que je n'ai pas réussi.

Les hommes ont l'avantage, le luxe du temps. Ils ont le droit d'atteindre une certaine maturité. De faire des enfants quand ils se sentent prêts.

Moi je n'avais pas le droit à l'erreur. Et j'en ai fait plein.

Techniquement donc, j'expire, en matière de fertilité. Tous les gars de mon âge ont encore une vingtaine d'années et même plus pour avoir des enfants. Pour devenir de bons garçons. Et rencontrer des filles qui sont dans la bonne période de leur vie. Ils pourront être de bons pères pour d'autres. Au moment où je les ai rencontrés, aucun d'entre eux n'aurait été un bon père pour toi. Et je n'ai pas su dénicher celui qui l'aurait été. J'ai fait de mauvais choix.

Des gens me demanderont peut-être, quand je leur dirai « Non, je n'ai pas d'enfant » et que je leur raconterai mon histoire, pourquoi je n'ai pas utilisé d'autres moyens. Pourquoi je ne t'ai pas eue toute seule. Il y a des femmes qui le font et qui sont comblées. Je les admire pour tout ce courage que je n'ai pas. C'est que, tu vois, Maeva, je n'avais pas assez confiance en mes capacités de mère pour l'être toute seule. Qui aurait comblé mes lacunes ? Qui t'aurait appris à patiner ?

Quand je repense à tout ça, je me dis que j'ai probablement eu peur de ne pas être à ta hauteur. C'est moi qui me sentais indigne de toi. J'étais peut-être attirée par ces mauvais numéros parce que j'avais peur d'être une mère. J'étais dans la période cruciale où il fallait que je fasse vite, et je suis allée vers des hommes que je ne voulais pas dans ma vie. Qui ne pouvaient pas devenir ton père. La réalité, c'est que je ne pouvais pas, moi non plus, être une mère pour l'enfant qu'ils avaient en tête, dans leurs rêves romantiques à eux. Ils ne m'ont pas choisie, eux non plus. Si j'avais été digne d'être une mère, peut-être que l'un m'aurait préférée à sa femme, l'autre à la drogue, et ainsi de suite.

Peut-être qu'au fond, je suis faite pour vivre seule. Que depuis que Louis est parti, je suis devenue une femme amère et aigrie qui n'a pas assez d'amour en elle pour faire pousser un petit être. Parce que je me suis sentie trahie par le seul père que j'aurais réellement voulu pour toi. Que j'ai senti qu'il t'avait trahie, toi aussi. Et que si tu avais existé autrement que par lui, je ne t'aurais pas aimée autant. Et que je n'aurais pas supporté de te voir autrement que ce que j'avais imaginé, avec celui que j'ai le plus aimé. Et que je n'ai pas voulu en aimer d'autres.

Je n'ai pas voulu que tu existes par d'autres.

J'ai été profondément égoïste. Tu vois, je n'aurais pas été une bonne mère. J'ai fait exprès de tomber sur les mauvais pères, pour mettre ça sur la faute d'un mauvais karma, d'un destin tragique, de la roue de la fortune qui n'a pas tourné pour moi. Mais au fond, c'est moi, la coupable. J'avais peur que tu ne sois pas comme dans mes rêves si tu n'étais pas de lui. Tu comprends, c'était l'homme de ma vie. Et je l'ai perdu. Et je t'ai perdue, toi aussi.

Toutes mes amies disent que la culpabilité vient avec la maternité. Je suis peut-être un peu une mère, car cette culpabilité, je la ressentirai toujours au fond de moi, comme une punition. C'est le seul sentiment maternel auquel je goûterai.

Je regrette de ne pas avoir su surmonter ma peine et mes peurs pour toi. Tu le méritais pourtant. Je regrette de ne pas t'avoir fait confiance. De n'avoir pas cru que tu pouvais déjà avoir ta personnalité, ta force, sans que mes choix te briment.

Il y a les femmes qui ne veulent pas d'enfant. Pour qui c'est clair. Moi, ça n'a jamais été ça. Je t'ai voulue et désirée. Pourtant, j'ai agi de façon contraire à mon désir. Par ma faute, tu resteras à jamais un concept flou. Un rêve que je ne pourrai jamais réaliser. Une personne qui n'existera jamais. Et maintenant que je sais que je dois renoncer à toi, je ne sais plus quoi désirer. Je suis dans cet état d'impatience, sans savoir vraiment ce que j'attends, car j'attends l'inconnu. Sans savoir de quoi demain sera fait. Et je serai à jamais seule, sans toi. Punie par ce vide que je n'aurai pas réussi à combler. Enfermée dans le silence. Je n'aurai jamais le droit de participer aux conversations de celles qui ont réussi à être mamans. À rencontrer le père parfait. À aimer.

Avant de quitter les toilettes, je jette un dernier regard dans le miroir, résignée.

Je ne verrai jamais ton visage, car j'ai échoué à de te rencontrer.

GENRE

Caroline Allard

J'avais quinze minutes d'avance. Philippe, lui, a dix minutes de retard.

Il me reste quand même un petit bout d'espoir. Ce n'est pas grand-chose, dix minutes de retard. À l'échelle de l'univers, ce n'est rien du tout. À l'échelle sociale, c'est encore moins que rien. C'est tout simplement normal. En comparaison, quinze minutes d'avance, c'est quelque chose : c'est la honte.

Personne n'arrive au restaurant en avance. Surtout dans un restaurant branché ; si on arrive en avance, la table ne sera peut-être pas prête. Et si la table n'est pas prête, on devra faire le pied de grue dans l'entrée.

En avance et debout dans l'entrée, on est à la fois dans le restaurant et à l'extérieur du microcosme. On est entré, mais on est exclu. Le personnel prépare notre table en nous jetant de petits coups d'œil excédés. Ceux qui ont le bon goût d'arriver à l'heure prévue et dont la table, à eux, est prête nous bousculeront d'un air d'excuse qui n'arrivera pas tout à fait à camoufler leur agacement légitime.

S'il y a un bar dans le restaurant, c'est moins pire. D'abord, on nous y escorte, ce qui nous confère un semblant d'appartenance au lieu. Le barman est probablement occupé à concocter les drinks (prioritaires) des clients assis aux tables, mais si d'aventure il est disponible, il sera possible d'avoir dans des délais raisonnables un verre d'alcool à tripoter et sur lequel fixer notre attention afin de fuir les regards dédaigneux de la caste des attablés.

J'exagère sans doute. J'exagère toujours. Mais j'ai l'habitude de donner beaucoup d'importance au regard des autres. Et les autres aussi ont l'habitude de me regarder.

Je m'appelle Cassandre. Dans la mythologie grecque, Cassandre prédisait l'avenir avec une grande exactitude, mais lorsqu'elle s'aventurait à le dévoiler, personne ne comprenait un traître mot de ce qu'elle racontait. Quand j'étais enfant, je prédisais mon avenir à qui voulait bien l'entendre et les gens me regardaient sans comprendre. Ou alors ils se détournaient vite et tâchaient d'oublier ce qu'ils venaient d'entendre. Les plus gentils disaient que « ça allait passer » – signe qu'ils avaient entendu mais qu'ils ne comprenaient pas davantage.

Le prénom Cassandre me convient parfaitement; c'est pourquoi je l'ai choisi.

Quand j'étais enfant, je m'appelais Jean-Marc.

Avant de se changer en Cassandre, le petit Jean-Marc était déjà un objet de curiosité. Un garçonnet qui répète que quand il sera grand, il sera *grande*, ça attire l'attention. Et plus Jean-Marc grandissait, plus l'attention qu'on lui portait prenait une forme, disons, concrète: des rires, des bousculades et, de plus en plus souvent au fil des années, des coups. Ça se passait dans le coin de la cour de récré et parfois même sous les yeux d'adultes qui n'intervenaient qu'à moitié en se disant que dans le fond, à force de se faire tabasser, Jean-Marc allait se réveiller. Dans ce temps-là, personne n'appelait ça de l'intimidation ; c'était la loi de la nature.

Dans les toilettes de l'école surtout, la loi de la nature régnait sans partage. Après quelques humiliations impliquant un pantalon baissé de force (« son machin est tellement petit, c'est vrai qu'on dirait une fille ») et un nez éclaté sur le bord d'un urinoir (cassé à cause d'un faux mouvement, question d'éviter de se faire frotter le visage contre « une vraie grosse queue de vrai homme, petite tapette »), Jean-Marc a appris à se retenir.

N'empêche, Jean-Marc a grandi et, un jour, il a montré à tout le monde qu'il avait raison. Il s'est éclipsé et Cassandre est arrivée en apportant ses accessoires avec elle : souliers à talons hauts, jupes, maquillage et seins pigeonnants. Pour les autres, c'était une créature étrange qui dégageait une impression de fausseté. *Travesti*, le mot le dit. Étymologiquement, le travestissement est un déguisement, une parodie. Mais pour moi, c'est l'inverse. C'est Jean-Marc qui travestissait l'identité de Cassandre ; Cassandre, c'est la « vraie affaire ». Et ce n'est pas pareil pour tout le monde mais pour moi, être une femme veut aussi dire m'habiller en femme. J'aime ça, ce n'est pas compliqué.

Mais pour quelques raisons, c'est aussi un peu compliqué.

Jean-Marc passait le plus souvent inaperçu. Avec des vêtements féminins, j'étais moins discrète mais plus forte de moi-même. Pouvoir ressembler à mon *vrai moi*, c'était un tout petit bout d'espoir. J'espérais que cet espoir pourrait me porter plus loin, ailleurs, au-delà du regard des autres.

Mais j'ai découvert la difficulté de fuir un regard qui vous suit partout. Les autres m'observent toujours, m'épient où que j'aille. Je suis une bête de cirque moderne, la vedette d'un numéro minimaliste où le flottement identitaire remplace le lion qui saute dans un cerceau de feu.

Les distinguées personnes présentes dans ce restaurant ne font pas exception. On me regarde et on prend des notes.

Tous les sites internet intéressés par le « cas » des transsexuels (les nombreux, nombreux sites qui déploient sans gêne aucune une fascination morbide pour le destin de l'entrejambe de leur prochain) le disent : la chirurgie esthétique ne peut rien faire pour les mains et les pieds. C'est donc avec un air de connaisseur que le maître d'hôtel évalue mes mains et la taille de mes chaussures pendant qu'il m'emmène au bar.

Il hésite entre deux tabourets : celui du fond où, à moitié dissimulée derrière une colonne, je ne risque pas trop d'inquiéter la clientèle, et le tabouret du milieu, la place d'honneur où tous ceux à qui il me montrera du doigt pourront m'examiner à loisir en le félicitant pour son sens de l'observation.

De son côté, le barman, avec son point de vue privilégié peu importe la place du client, me sert un sauvignon en fixant mon décolleté – oui, mon cher, ce sont de *vrais* faux seins, huit mille dollars la paire.

Je sais que je n'aurais pas dû mettre des collants *Voile brillant*. Le reflet de la lumière fait scintiller le galbe de mes mollets et c'est un peu ma faute si, pendant une microseconde, le regard de la serveuse est attiré par mes jambes encore un peu trop musclées. Ce n'est rien, une microseconde. À peine le temps d'un battement d'ailes de colibri. Mais tout mon corps est exercé à détecter ce genre de regards. J'aimerais pouvoir les ignorer, mais j'en suis incapable et c'est un fait : les battements d'ailes des colibris peuvent faire autant de dommage qu'un TGV qui vous heurte sans même ralentir.

Treize minutes de retard.

Ce n'est pas grand-chose, treize minutes de retard, d'autant que ma table a fini par être prête. Enfin assise à ma place, je peux mieux dissimuler mes grands pieds, mes mollets et même mes mains que j'ai pris l'habitude de garder sur mes cuisses, loin sous la table, *à l'abri*. Qu'est-ce qui reste ? Mes épaules de nageur qui s'accrochent même si je ne nage presque plus, ma pomme d'Adam pas assez rabotée à mon goût, mon regard trop aux aguets... Mais ne cédons pas à la paranoïa. Ce n'est pas grand-chose, tout ça. Et puis, l'an dernier, je me suis fait faire la Grande Opération.

La Grande Opération. Ma mère aussi utilise l'expression. Elle a souvent dit, par exemple : « Plutôt que d'avoir un enfant, j'aurais dû me faire faire la grande opération. Je n'aurais pas le cœur brisé aujourd'hui. » La Grande Opération, pour ma mère, c'est le miracle qui n'a pas eu lieu, le moyen par lequel elle aurait pu n'avoir jamais enfanté un être contre nature. Parce qu'il n'y avait rien de naturel, selon elle, à ce que son fils lui vole des souliers à talons hauts ou des bustiers en dentelle pour s'en attifer après l'école devant le miroir qui couvrait les portes doubles dans la salle de lavage – la salle de lavage, dont la porte ne se verrouillait malheureusement pas et que ma mère a ouverte sur moi un samedi après-midi où « tout allait pourtant si bien ».

Ma mère n'avait pas tout à fait tort : le petit Jean-Marc aurait très bien pu vivre sa vie de fille en pantalons et en t-shirt. Mais Jean-Marc n'était pas tellement différent des fillettes qui s'habillent en princesses avant de se rendre compte, les années passant, qu'un jean serré peut tout aussi bien faire l'affaire.

À la décharge de Jean-Marc, il choisissait les morceaux les plus sexy parce que le lycra et la dentelle *stretch* tenaient mieux sur son corps de gamin que les robes de coton. J'étais bien placée pour le savoir : mon moi de jeune garçon ne recherchait pas la perversité mais la féminité. Platon l'aurait dit à ma mère : l'idée-forme de la Femme avec un grand *F* ne se conçoit pas sans dentelle et souliers délicats. Jean-Marc avait besoin de l'artifice pour atteindre la vérité. Mais ma mère ne connaissait rien à Platon et je soupçonnais qu'elle l'aurait envoyé se faire voir chez les Grecs.

Quand elle n'en pouvait plus du petit Jean-Marc qui lui faisait si honte, ma mère allait se réfugier dans la salle de bain avec sa radio portative et elle syntonisait un poste de musique classique. Les sanglots des violons couvraient alors, presque, ceux de ma malheureuse génitrice. Elle pouvait passer deux heures aux toilettes et quand elle en ressortait, le dos droit et les yeux rougis, elle ressemblait aux actrices de tragédies françaises qu'elle affectionne depuis toujours.

Avec le recul, je trouve son sens du drame un peu louche. Je me demande même si l'« épreuve insurmontable » que je lui ai fait vivre n'a pas été, pour elle, un cadeau du ciel. Ce n'est pas tous les jours qu'une tragédie digne de Racine s'abat sur une caissière de supermarché.

Je pourrais lui poser la question, lui demander si son plus grand malheur n'a pas été à la source de son plus grand bonheur. Mais depuis qu'elle sait pour la Grande Opération (la mienne), elle ne me parle plus, ne veut plus me voir ni avoir de mes nouvelles. Comme quoi j'ai encore exagéré : ce n'est pas tout le monde qui m'observe.

Vingt minutes de retard.

Ce n'est rien, vingt minutes.

Vingt minutes, c'est le temps de se trouver une place de stationnement tout en réalisant qu'on n'a pas tenu compte du temps qu'il nous faudrait pour trouver une place de stationnement quand on a fixé l'heure du rendez-vous. Et ce sont vingt minutes qui vont inévitablement se changer en trente, quand on constatera qu'on est stationné à dix minutes à pied du restaurant où on s'est donné rendez-vous.

Quand on a vingt minutes de retard, en général, on envoie un texto pour prévenir. Si on faisait le recensement de tous les messages textes qui ont été envoyés de par le monde, je suis sûre qu'on découvrirait qu'au moins 50 % vont à peu près ainsi : « Me stationne ! Suis là dans dix ! » Mais Philippe n'est pas très techno, il me l'a dit. Malgré son retard (vingt minutes, presque rien après tout), il ne me textera sûrement pas. Je sors tout de même mon téléphone de mon sac pour le mettre en garde à vue. On ne sait jamais.

Tant qu'à attendre, je pourrais en profiter pour aller aux toilettes.

C'est une petite phrase toute simple, n'est-ce pas ? Une idée qui nous traverse l'esprit tout naturellement pendant qu'on attend quelqu'un qui a vingt minutes de retard au restaurant. À peine s'inquiète-t-on du fait que notre partenaire de repas pourrait arriver pendant qu'on est partie aux toilettes et croire qu'on n'est pas encore arrivée. Pas très angoissant et même rassurant : s'il ne nous voit pas, il pensera pendant quelques instants qu'il n'est pas le seul à être en retard et que – quel soulagement ! – son retard à lui est moins pire que le nôtre. De notre côté, après avoir uriné pour la forme, on donnera un ultime sceau d'approbation à notre coiffure, notre maquillage et notre sourire. Puis, après un dernier regard dans le miroir qui englobera l'entièreté de notre silhouette pour vérifier que notre jupe n'est pas prise dans notre culotte, on retournera à notre table. Notre ami sera là, on rigolera ensemble. On prononcera les mots apaisants d'usage : non, on ne l'a pas vraiment attendu longtemps, en fait on vient tout juste d'arriver et le temps de passer aux toilettes, hop, il arrivait lui aussi. Bref, aller au petit coin pendant qu'on attend notre *date* qui a du retard, c'est quasiment une mesure de politesse préventive.

Je remarque d'ailleurs que ce soir, dans ce restaurant, les toilettes sont une destination particulièrement prisée, surtout chez les femmes. Rien de plus normal. Allez savoir pourquoi, les femmes sont, primo, plus susceptibles que les hommes d'aller aux toilettes dans les restaurants et, deuxio, vont aussi beaucoup plus loin dans leur appréciation des salles de toilettes. Je connais une fille (je veux dire, une fille *au plan génital* depuis sa naissance) qui, avant de réserver dans un restaurant, appelle auparavant l'établissement pour avoir des détails sur leurs W.-C. Sont-ils chauffés ? De combien de cabines disposent-ils ? Peut-on s'y sécher les mains avec du papier, du tissu déroulant, un jet d'air ? Si jet d'air il y a, comment est-il ? Chaud ou froid ? Faible ou vigoureux ? La chasse d'eau, elle, se déclenche-t-elle automatiquement et sinon, peut-on appuyer sur ladite chasse avec le pied ? Et cetera.

Personnellement, je n'ai pas besoin de savoir comment sont les toilettes d'un restaurant avant d'y mettre les pieds parce que, autant que faire se peut, j'essaie de ne pas y entrer.

Les toilettes, ce refuge, cet antre de paix, ce cénacle où tous les fous rires, les pleurs, les confidences sont permis, moi, je ne connais pas.

Sûrement que les épisodes de pantalon baissé de force et de nez cassé n'ont pas aidé. Mais ce n'est pas que ça. En fait, si ce n'était que ça, ce serait encore supportable. Mais c'est pire. Sitôt que Jean-Marc est devenu Cassandre, c'est tout un nouveau monde de relations troubles avec les toilettes qui s'est imposé à moi.

À part pour les plus chanceuses (lire : celles au physique et aux traits naturellement plus féminins), s'habiller en femme ne garantit pas que les gens vont nous considérer comme une femme. Que non. Jamais, jamais, jamais. Surtout pas dans des toilettes publiques.

La première fois que je suis sortie habillée en femme, je n'avais pas prévu le coup. C'était au centre-ville, dans un McDonald. Je me disais que j'y passerais relativement inaperçue. Est-ce qu'il y a un endroit au monde où on peut être plus anonyme que dans un McDonald de centre-ville ? C'est l'équivalent d'un hôtel de passe : tu payes d'avance, tu restes quinze minutes pour faire ta sale petite affaire et tu repars. Personne ne te demande jamais ton nom, personne ne te regarde dans les yeux. Mais contrairement à celui d'un hôtel de passe, l'éclairage d'un McDonald ne laisse rien passer, surtout pas une mâchoire un peu carrée qu'on a pourtant rasée et couverte de fond de teint il y a à peine une heure.

Une autre différence entre un McDonald et un hôtel de passe, c'est qu'on croise davantage de familles dans le premier que dans le second.

J'étais allée au McDo avec une bonne amie, Corinne, une collègue étudiante au département de littérature qui ne s'entendait pas très bien avec Jean-Marc mais qui est devenue une des meilleures amies de Cassandre. Cette espèce de redistribution amicale s'est produite plus souvent que je l'aurais cru. J'avais donc demandé à Corinne de m'accompagner pour cette grande première, « au cas où je m'enfargerais dans ma jupe ». Je blaguais mais j'étais terrorisée. Corinne était à côté de moi quand j'ai commandé mon trio Big Mac. Elle guettait la caissière d'un œil sauvage, la mettant au défi de dire quelque chose d'inapproprié. Cette dernière a pris ma commande, le regard fixe et le dos droit. *Un trio Big Mac pour le travesti accompagné d'une folle enragée.*

Nous sommes allées nous asseoir à une table avec vue imprenable sur le comptoir des caisses où il nous était possible d'observer à loisir les coups de coudes que se donnaient les caissiers, l'incursion des cuisiniers dans le coin du comptoir de service, les regards plus ou moins discrets de tout ce beau monde, leurs remarques à voix basse ou haute, leurs rires étouffés. J'ai mangé mon Big Mac en faisant semblant de rien. Au cours des mois qui suivraient, je prendrais beaucoup d'expérience dans le « faire semblant de rien ». Je découvrirais aussi qu'il est préférable de garder mes « admirateurs » à l'œil en faisant semblant d'ignorer le brouhaha plutôt que de leur tourner le dos.

Après avoir mangé mes frites, je me suis levée pour aller me laver les mains. À mi-chemin entre ma table et le couloir des toilettes, j'ai réalisé deux choses. Premièrement, habillée en femme, je ne pouvais pas entrer dans les toilettes des hommes ; je devrais pousser, pour la première fois, la porte des toilettes publiques qui arborait le signe « Femmes ». Et deuxièmement, ma vue imprenable sur le comptoir des caisses m'avait empêchée de remarquer que le gérant du McDo avait posé une chaise près des toilettes des femmes et s'était installé dessus. En me voyant m'approcher, il s'est levé et s'est placé devant la porte.

J'ai pensé à Boris Vian. *Il s'est levé à mon approche ; debout, il était plus petit…*

— *You're going in the wrong bathroom.*

Le gérant évitait mes yeux et, du coup, ne savait pas trop où diriger son regard. Chaque partie de mon corps était piégé, destiné à lui faire ressentir un malaise : cheveux trop bien coiffés, soutien-gorge trop rembourré, souliers trop grands, poils trop fournis sur les bras, pomme d'Adam trop proéminente. Mon parfum un peu fleuri ne devait pas trop lui plaire non plus. Il regardait le plancher, de côté, et tous les autres employés, eux, nous fixaient. Pas besoin de les voir pour en avoir conscience.

Le gérant et moi, nous n'avions déjà pas grand-chose en commun. Avoir un public nous forçait à nous cantonner encore plus dans nos rôles respectifs ; nous ne pouvions être que des adversaires. Je m'éclaircis la gorge.

— Je suis une femme. Je ne peux pas aller dans les toilettes des hommes. *I have no business in the men's restroom.*

Il secoua la tête.

— *The ladies' room must remain a safe place.*

Je découvris ce soir-là que, tant qu'à me faire insulter, je préférais que ça se fasse en anglais. Ça établissait une distance. Je pouvais poursuivre l'échange calmement, un peu détachée, comme dans une expérience extracorporelle. Ou peut-être que ça n'était pas l'anglais. Peut-être étais-je seulement en état de choc.

— *A safe place ?* Qu'est-ce que ça veut dire ?

— *There are kids in the restaurant. Little girls. I can't let just anybody use the women's restroom.*

Fais-moi mal, Johnny Johnny Johnny…

Je ne me suis pas obstinée, je n'allais pas me battre, j'étais déjà K.O.

Je suis retournée à ma table accompagnée du murmure collectif des employés, des vainqueurs qui avaient triomphé sans gloire mais qui n'en jubilaient pas moins.

Le moment avait été intense mais discret. Corinne n'avait rien vu. Elle m'attendait avec un grand sourire qui s'est éteint rapidement quand elle a vu mon visage anormalement blême, même sous les néons. Nous sommes parties. Je lui ai raconté ce qui s'était passé seulement une fois que nous avons été de retour à mon appartement. Elle a piqué une colère. J'ai refusé de porter plainte. Ça n'a rien fait pour la calmer.

C'était la première fois. Ça fait cinq ans maintenant et si j'avais porté plainte chaque fois que j'ai eu une mésaventure reliée aux toilettes publiques, je passerais ma vie devant un juge.

Ça y est. Philippe a une demi-heure de retard.

La serveuse me propose « un autre verre de vin, *madame* ? ». Il me semble qu'elle insiste sur le marqueur de genre, qu'elle me nargue. Mais elle fait peut-être seulement un effort. Peut-être que ces trente minutes d'attente m'ont rendue hypersensible. C'est facile de devenir hypersensible quand, plus souvent qu'autrement, on a raison de l'être.

Je me décide pour un cosmo. Je pense que la serveuse pense que j'essaie d'avoir l'air plus *fille* qu'avec un simple verre de vin. Je prends de grandes respirations pour me calmer en essayant de ne pas avoir l'air d'être en train de prendre de grandes respirations pour me calmer.

Soyons honnêtes. Une demi-heure de retard, ce n'est plus tout à fait rien. Mais ce n'est pas la mer à boire non plus. Il y a peut-être simplement eu malentendu quant à l'heure du rendez-vous ? Il me semble qu'on avait dit 19 heures, mais peut-être qu'on avait dit 19 h 30 ? Peut-être qu'on avait dit 19 heures mais qu'il a oublié et qu'il a ensuite cru qu'on avait dit 19 h30 ? C'est vrai que 19 heures, c'est un peu tôt pour une réservation au restaurant un samedi soir.

Peu importe la source du malentendu. Si malentendu il y a, le compteur peut se remettre à zéro. Philippe n'est pas encore en retard et moi, belle dinde, je suis arrivée avec quarante-cinq minutes d'avance.

Je commence à avoir envie d'aller aux toilettes. C'est nerveux, je crois. Mais je ne peux pas y aller maintenant. Une fillette vient d'arriver avec deux autres femmes et elles se sont assises à la table à côté de la mienne. *There are kids in the restaurant. Little girls.* Les petites filles, ça finit toujours par aller aux toilettes dans les restaurants. Je vais attendre qu'elle y aille avant de m'y rendre. Je n'aurai sûrement pas à attendre très longtemps. En attendant, *the ladies' room must remain safe.* Si une petite fille entre dans les toilettes en même temps que moi, je n'y serai pas en sûreté.

Je me retiens.

Je me retiens souvent.

Je me retiens aussi de penser que Philippe ne viendra pas. Je m'oblige à épouser la thèse du malentendu. C'est un mariage forcé, mais il paraît que parfois, ça peut donner de très bons résultats. Ça me donne en ce moment un tout petit, très ténu bout d'espoir. Un espoir quasi microscopique. Mais tous les microscopes vous le diront, un monde fabuleux peut se cacher dans une poussière d'espoir.

J'ai hâte de voir Philippe ; je veux dire, de vraiment le *voir*. Je ne l'ai pas encore rencontré dans la « vraie vie ». C'est un *blind date.*

J'ai hâte de voir Philippe mais je n'apprécie pas outre mesure tous les éléments incontrôlables du *blind date* classique (« et si on n'avait rien à se dire ? et si sa photo datait de dix ans ? et s'il sentait mauvais ? »). Et dans ma situation, disons, particulière, j'ai l'impression de jouer à une roulette russe où il y aurait beaucoup plus qu'une cartouche dans le barillet : et s'il me trouvait trop virile, pas assez « femme » ? Et si c'était un fétichiste amateur de vidéos de « jolies trans en bas résille » ? Et si c'était un pervers, un violent, un tueur en série ? Et si c'était l'homme parfait, et que je le dégoûtais ?

J'ai peur de tout ça, mais je n'ai pas peur que Philippe soit complètement pris par surprise lorsqu'il me verra. À tout le moins au sujet de ma transsexualité, il n'y a pas de malentendu entre lui et moi.

Il aurait pu y en avoir un. Nous sommes entrés en contact sur un site de rencontres. Un soir où l'alcool m'avait rendue à la fois plus désespérée et plus encline à faire des bêtises, je me suis inscrite comme « femme qui cherche homme », puisque homme je cherchais. C'est d'ailleurs un des aspects comiques de ma situation : Jean-Marc était considéré comme gai alors que Cassandre est résolument hétérosexuelle.

Sur la fiche que j'ai remplie, j'ai parlé de moi, de ma personnalité, de mes goûts, de mon apparence le plus honnêtement possible. Seulement, je n'ai pas fait mention du petit détail qui tue. *Ai temporairement été dotée d'un pénis.*

Ma photo, dûment retouchée pour rendre mes traits plus flous et ma bouche plus rouge, a tout de suite eu beaucoup de succès. J'ai réalisé à quel point une fille génitalement bien immatriculée peut avoir du choix. Du choix parmi des gars « normaux », je veux dire. Ça ne signifie pas que les gars normaux soient tous hautement désirables. Mais statistiquement, au moment de choisir, il y a tout de même un avantage à disposer d'un énorme échantillonnage.

J'avais publié mon profil sur le site de rencontres par curiosité, pour m'amuser – même si au final ça me faisait peut-être un peu trop souffrir de me plonger dans ce monde sous un faux prétexte et de savoir que je n'y aurais jamais réellement accès. Je n'ai répondu aux avances de personne. Enfin, je n'ai répondu qu'à celles de Philippe.

Ça se lisait entre les lignes et droit dessus aussi : il était gentil. Il était mignon. Il était sincère. Je lui ai répondu sincèrement aussi : que je le remerciais pour son intérêt ; que j'avais toujours été une femme de cœur mais que de corps, c'était plus récent ; que j'étais flattée mais lucide ; qu'il pouvait voguer en paix vers d'autres profils plus traditionnels et vers des rencontres plus porteuses de promesses.

Il m'a dit merci ; qu'il appréciait ma franchise ; qu'il me trouvait tout de même intéressante ; qu'il s'en étonnait lui-même mais qu'il voulait me rencontrer.

Philippe a quarante-cinq minutes de retard et je ne crois plus trop à mon histoire de malentendu.

Fais-moi mal, Johnny Johnny Johnny.

Mon verre de vin et mon cosmo ont effacé la moitié de mon rouge à lèvres en plus de me rendre émotive. Ma pomme d'Adam monte et descend, monte et descend comme un ascenseur fou dans l'hôtel des cœurs brisés. Je pose ma main devant ma gorge pour camoufler ses spasmes. Je me sens plus handicapée que l'homme en fauteuil roulant, quelques tables plus loin. Il est bien accompagné, assis avec une jolie blonde qui, elle, n'a manifestement pas de soucis de genre.

J'entends la porte du restaurant s'ouvrir. Je suis dos à elle mais je ne me retourne pas. Une fille a son orgueil.

De toute façon, ce n'est pas Philippe. C'est un groupe de filles *normales* qui passent près de moi en me frôlant avec leurs coudes et leurs besaces hypertrophiées. Pas de souci d'identité ni de toilettes, pas de questions existentielles pour celles-là. Ça va placoter, caqueter, rire fort ; un souper de filles ordinaire comme je n'en vivrai peut-être jamais. Elles zigzaguent entre les tables comme si le restaurant leur appartenait. Elles semblent toutes ravies de se montrer ici, à part la dernière, qui traîne la patte derrière le groupe. Quel grave problème peut-elle bien avoir, celle-là ? Je l'évalue et je me dis que c'est sûrement un *bad hair day*. Elle pourra aller essayer de régler ça aux toilettes entre deux margaritas. Je la déteste. Elle et ses amies s'en vont plus loin avec leurs caquètements et leur normalité. Elles sont bientôt hors de ma vue. Tant mieux.

Quarante-huit minutes.

J'essaie de me retenir, je tâtonne pour retrouver mon tout petit bout d'espoir mais j'anticipe l'humiliation.

J'ai sûrement les yeux tout rouges et affreux.

Je devrais aller aux toilettes, refaire mon maquillage.

Je scanne le restaurant du regard. La fillette est toujours à sa table. Elle doit se retenir, elle aussi. Mon œil, qui enregistre tout comme celui des policiers et des truands, n'a repéré aucun autre enfant dans le restaurant. Autre point qui joue en ma faveur : aucun gérant n'est posté près de l'escalier qui mène aux toilettes, aucun employé ne semble se tenir prêt à s'interposer entre la clientèle et une *superfreak* qui peut bien manger chez eux si elle veut mais qui n'a pas le droit d'y faire pipi.

Je *pourrais* aller aux toilettes.

Je pourrais y aller, d'autant plus que ce restaurant a un avantage considérable du point de vue de ses lieux d'aisance : les w.-c. s'y trouvent au sous-sol, en bas d'un escalier étroit. Ce que ça veut dire, c'est que je peux m'y faufiler sans que les gens puissent voir vers quelle porte je me dirige ; tout le contraire du resto-bar sportif où je suis allée prendre une bière avec quelques amis il y a deux ans.

Dans ce resto-là, la salle à manger donnait directement sur les portes des toilettes avec leurs indications bien en évidence : MESSIEURS et DAMES. Chacune des portes s'ouvrait sur une petite pièce où il n'y avait qu'un siège de toilette. Grâce à cet aménagement et à la clientèle 100 % majeure et vaccinée de l'endroit, je ne risquais pas de déranger une *little girl.*

Mais ce soir-là, l'équipe de hockey locale était en train de perdre dans le déshonneur sur écran géant. L'atmosphère était lourde et les boucs émissaires étaient rares.

Je n'aurais probablement pas dû aller aux toilettes.

Et puis d'abord, qu'est-ce que j'allais faire dans un resto-bar sportif? C'est ce que m'ont demandé mes amis quand ils sont venus me rendre visite à l'hôpital ensuite.

Ils ne peuvent pas deviner cette peur viscérale que j'ai de sortir de chez moi, ni la colère et la frustration que cette même peur génère en moi. Je suis malade de terreur à l'idée de sortir des sentiers battus, des bars et des restaurants que je fréquente habituellement, où on me connaît et me reconnaît, où on ne me regarde presque plus, où je suis presque comme chez moi. L'idée d'aller voir ailleurs si Cassandre y est me terrifie chaque fois ; ne pas pouvoir contrôler cette peur me rend folle de rage. À l'intérieur, ça bouillonne, ça déchire, ça étourdit, et quand on me demande « Viens-tu avec nous voir la partie de hockey au bar sportif? », je dis oui comme une faction rebelle déclare la guerre, comme une prisonnière saute un mur de barbelés.

Et cette fois-là, une fois le mur sauté, une fois arrivée dans le bar, toute à l'excitation de sortir dans un endroit exotique avec quatre ou cinq bons amis qui peuvent faire cercle autour de moi en cas de problème, j'ai baissé la garde. Je n'ai pas remarqué les deux gars assis au bar, enfin, je les ai remarqués, ils finissaient une bière qui n'était sans doute pas la première et sacraient devant l'écran qui leur renvoyait à grand renfort de reprises toutes les étapes du déclin de leur équipe fétiche.

J'ai remarqué les deux hommes mais je n'ai pas remarqué qu'eux aussi m'avaient vue. Et je n'ai pas pensé, en me levant pour aller au petit coin, que la protection de mes copains ne s'étendrait pas au territoire intime des W.-C.

Je me souviens, c'est une des premières fois où je n'ai pas hésité : je me suis dirigée d'un pas léger vers la toilette des dames. Je me trouvais particulièrement belle ce soir-là, la beauté des rebelles, de celles qui osent, qui s'assument, qui croient que devant une aussi merveilleuse audace, le reste du monde n'aura d'autre choix que d'assumer lui aussi.

Fais-moi mal, Johnny Johnny Johnny...

Quand je suis entrée dans la toilette, un pied a bloqué la porte pour que je ne puisse pas la refermer.

— Hey, le fif ! Tu t'en vas où comme ça ?

Tout s'est passé très vite. Les deux hommes m'ont poussée au fond de la pièce et sont entrés eux aussi. Ils ont verrouillé la porte. Pendant que le plus gros me retenait par-derrière, l'autre a déchiré mon chemisier, arraché mon soutien-gorge. Avant l'opération qui m'a donné de « vrais » faux seins, je portais le genre de prothèses qu'utilisent les femmes qui ont subi une mastectomie. Des prothèses compactes, réalistes, professionnelles, chères, et qui pourtant ont l'air tellement frêles et ridicules une fois écrabouillées sur un plancher de ciment par des bottes à *caps* d'acier.

C'était des bottes à *caps* d'acier, assurément. En tout cas, elles m'ont brisé trois côtes sans effort. Les œdèmes que j'ai récoltés aux bras et aux cuisses étaient également très impressionnants.

Évidemment, ils s'en sont aussi pris à mon visage. On ne bat pas quelqu'un à cause de son apparence sans chercher à la saccager. Les lèvres, les yeux, le nez, l'arcade sourcilière ont été fendus, écorchés à divers degrés et rendus disponibles dans différents tons de bleu, mauve, jaune et vert, et ce, pour un long mois après l'agression.

Tout le temps qu'ils me frappaient, je pensais : pas entre les jambes. Je sais, c'est absurde, mais j'étais une femme et je ne supportais pas l'idée d'avoir mal aux couilles. Étonnamment, ils ont laissé mon entrejambe tranquille. J'imagine qu'aucun des deux ne voulait avoir l'air de trop s'y intéresser devant l'autre.

Lorsque j'ai eu suffisamment saigné et gémi, ils ont arrêté. Comme nous étions dans les toilettes ; ils m'ont pissé dessus avant de sortir.

Parlant de toilettes, j'ai bien aimé celles de l'hôpital. Très privées.

Ça y est. Une heure de retard.

La serveuse me demande si je veux grignoter quelque chose ou même commander. Elle est nerveuse. Elle doit garder le contrôle sur les réservations. Si j'attends encore pour manger, ma table ne sera pas libre à l'heure prévue pour les prochains clients. Le restaurant est bondé, on n'a pas besoin que des gens attendent même s'ils arrivent à l'heure. Elle pourrait me dire qu'il est trop tard pour commander mais elle ne le fera pas. Elle n'osera pas avoir l'air de faire de la discrimination envers une personne déjà très désavantagée physiquement et socialement. Elle appellera sans doute le gérant, ou alors celui-ci est déjà au courant. Il attend encore dix minutes avant de venir s'excuser. Il me dira que peu importe où j'en suis dans mon repas et dans ma vie, à 21 heures, je devrai libérer la place.

Le petit bout d'espoir qui me restait vient de s'enfuir par la porte des cuisines.

Je demande l'addition. La serveuse est soulagée. Elle fait signe à une cliente assoiffée d'attendre un peu : ma demande est plus urgente. Un plus gros problème sera réglé quand j'aurai quitté les lieux.

En attendant l'addition, je me décide.

Je vais aller aux toilettes.

Tant qu'à effectuer une sortie forcée, elle sera flamboyante. J'exagère. Disons qu'elle ne sera pas complètement pathétique. Bref, avant de partir, je vais me remaquiller.

Je me lève. Il me semble que les conversations s'arrêtent mais je me trompe : c'est le sang battant à mes oreilles qui étouffe le bruit ambiant. Je me dirige vers l'escalier. J'ai l'impression que tout le monde me regarde. J'ai peut-être raison, mais tant pis. Je ne serai jamais complètement à l'abri des regards, et je ne serai jamais complètement à l'abri des retards.

J'entre dans les toilettes des femmes. Les miroirs qui tapissent les murs me donnent l'illusion d'autres mondes dans lesquels j'aimerais aller me perdre. Une des glaces descend jusqu'au sol. C'est peut-être derrière ce miroir-là que Philippe m'attend depuis une heure ?

Je m'avance vers les cabinets et je remarque que je ne suis pas seule. Debout devant un lavabo se tient la jolie blonde qui était assise en face l'homme en fauteuil roulant. J'ai un mouvement de recul qui ne sert pas à grand-chose : la femme est absorbée par son reflet au point de ne pas remarquer mon arrivée. Vu le genre d'attention dont j'ai l'habitude de faire l'objet dans les toilettes publiques, je suis soulagée par cette présence fantomatique.

Je me penche au-dessus d'un lavabo, je scrute ma réflexion dans le miroir. Tant de choses me dérangent dans ce que j'y vois.

Je sors un rouge à lèvres de mon sac à main. En l'appliquant, j'essaie de me concentrer sur sa couleur carmin et sur rien d'autre. Mais je n'y arrive pas ; du coin de l'œil, la blonde m'observe et du coin de l'œil, je la vois m'observer. *Hypersensibility is a bitch.*

Je sais ce que je suis, mais je sais aussi ce qu'elle voit. Comme moi, elle trouve sûrement que les quelques petits détails qui rappellent l'homme que j'étais effacent le reste de mon visage. Comme moi, elle se dit : *Ils ne disparaîtront pas.* Elle me plaint, sans doute. Elle se dit que malgré le maquillage, les hormones, les chirurgies, malgré tout le chemin que j'ai fait et que je continue à faire dans mon corps et dans ma tête, un mâle intangible continuera à dominer tout le reste.

C'est sûr, c'est ce qu'elle pense et c'est ma plus grande peur : que Jean-Marc refuse de laisser toute la place à Cassandre, qu'il ne se fonde jamais entièrement dans le reste de ma féminité.

Philippe ne viendra pas et c'est probablement mieux comme ça.

La blonde se tourne vers moi, mal à l'aise. Elle n'aura pas besoin d'insister : je sortirai sans faire de vagues.

— Excuse-moi… Aurais-tu un tampon ?

Maladroitement, je replace le capuchon sur mon tube de rouge à lèvres. J'échappe ce dernier par terre en essayant de le ranger dans mon étui à maquillage. Je me penche pour le ramasser mais, sous l'effet de l'énervement, je le pousse un peu plus loin. Voyons, de quoi j'ai l'air ?! Je finis par rattraper le tube et je le dépose sur le bord du lavabo avec l'idée de le rincer avant de le ranger. Sitôt déposé là, je l'oublie complètement. D'une main tremblante, je fourrage dans les tréfonds de mon sac à main et j'en ressors un tampon « sport » ultra-absorbant – un « cadeau » que m'a fait Corinne après mon opération, en m'expliquant à la blague que je ne serais pas une vraie femme tant que je n'en trimballerais pas un partout avec moi. Je le tends à la fille qui le saisit, m'adresse un bref merci et va s'enfermer dans un cabinet.

Philippe ne viendra pas. Mais je suis allée aux toilettes des femmes et on m'a demandé un tampon. Une porte s'est fermée mais un nouveau petit bout d'espoir est apparu. Il se balance comiquement à l'extrémité d'une ficelle blanche.

Ce n'est pas grand-chose. C'est presque rien. Mais à l'échelle de Cassandre, ça tombe plutôt bien.

Je regarde mon reflet dans le miroir et pour une fois, je ne vois que ma silhouette élancée, mes cheveux soyeux, mes lèvres pulpeuses et mes yeux brillants. Je m'adresse un sourire incertain mais sincère.

Je sors des toilettes, je remonte l'escalier, je paie l'addition en remerciant la serveuse. Si des gens m'observent, je ne le remarque pas.

Je reviendrai dans ce restaurant.

JE SUIS CHEZ MOI

Mélikah Abdelmoumen

«Je suis parti avec quelques valises,
sans casier judiciaire et avec une certaine ferveur.»

Hubert AQUIN, *Un Canadien errant*

J'ai eu raison de vouloir espacer mes retours. Ici, on dirait que je ne sais plus habiter les lieux.

Pourtant, cette salle à manger, ce bar, ces grandes baies vitrées, ces plantes vertes, cette vue sur l'angle des rues Sainte-Catherine et Saint-Urbain, je m'y sentais chez moi, dans mon ancienne vie. Je m'y sentais chez moi même si deux fois sur trois, je n'avais pas vraiment les moyens de manger ici. Surtout pas ces fois où Mapie et moi venions y passer une interminable soirée arrosée, en tête à tête. Ces apéros se terminaient toujours trop tard, et en une seule soirée nous avions grillé le budget d'une semaine. Nous étions jeunes et nous avions peur du présent et de l'avenir mais ici, ensemble, nous étions bien.

Ce qui est complètement fou, c'est que je n'arrive pas du tout, mais alors pas du tout à dire si ce décor dont j'essaie de me convaincre qu'il m'est familier, dans lequel j'essaie en vain de me revoir, est bien le même qu'à l'époque.

J'ai quitté le Québec il y a un peu moins de dix ans, pour des raisons compliquées. Comme tous les exilés. Dix ans, ça donne le temps à beaucoup de choses de changer. Ça donne le temps aux restaurants branchés de devoir refaire toute leur déco pour éviter de passer de furieusement *in* à lamentablement *out*. Ça donne le temps aux rues que vous aimez le plus de changer de visage, à votre bar préféré d'avoir été remplacé par un restaurant végétarien puis par un opticien, ou aux cinémas répertoire de la ville, dont ils étaient la richesse, de devenir une espèce en voie d'extinction.

Dix ans d'exil, ça vous donne le temps de devenir cette personne qui, en pleine évocation nostalgique de son ancienne vie, s'arrache les cheveux et se tord les mains parce qu'elle se rend compte qu'elle ne sait plus le nom du boulevard Saint-Joseph.

Ce soir, j'ai beau faire jouer à tue-tête et en boucle sur mon iPod toutes les chansons que j'aimais quand j'étais encore montréalaise, j'ai beau avoir commandé le même vin que Mapie et moi commandions, rien n'y fait. Je doute. Chaque fois que je crois reconnaître quelque chose, une petite voix me dit de prendre garde. La petite voix de la mémoire qui flanche, la musique agaçante de l'esprit qui tâtonne, qui trouve des trous béants et qui improvise.

Je ne sais pas si c'est le vin sur un estomac vide ou le fait que je ne sais plus occuper mes lieux familiers, mais j'ai un peu la nausée tout à coup.

Et puis rentrer à Montréal en cachette un jour avant la date que j'avais annoncée à tout le monde, réserver pour une nuit dans un hôtel hors de prix du centre-ville, venir dans ce resto où tout ressemble à tout mais où je suppute que, si j'avais une mémoire plus fidèle, rien ne ressemblerait plus à rien : dé-bi-le. Pas d'autre mot.

J'ai su que j'étais en train de faire une connerie dès que j'ai eu posé mes valises dans ma chambre, de toute façon. Le Français qui partage ma vie a accepté que je me paie ça avec nos modestes ressources. Toujours sensible à ces lubies douloureuses d'exilée dont il se sent, malgré lui, responsable, il ne se rend pas compte qu'en réalité, il m'a sauvée du pire. Enfin, je le suppose, parce que bien sûr je ne sais pas ce qui serait advenu si je n'étais pas partie. Mais comme s'expatrier est parfois la seule façon de naître, on joue le tout pour le tout, et on se dit qu'on trouvera la force de ne pas retourner le fer dans la plaie lorsque viendront les moments difficiles...

Il faut vraiment que je commande quelque chose à manger. Ç'a pas de maudit bon sens, ce que je suis en train de faire.

Avant de venir m'échouer ici, j'ai eu le temps de me torturer généreusement. Mon avion a atterri à 13 heures. J'ai pris un taxi de « l'aréoport » (je ne pensais jamais m'émouvoir en me remémorant cette faute de français qui avait le don de me tomber sérieusement sur les nerfs lorsque je vivais ici), et là j'ai regardé la laideur du paysage entre Dorval (qu'on appelle maintenant Pierre-Elliott-Trudeau) et le centre-ville de Montréal. La laideur qu'il y a dix ans, avant de partir, je ne la voyais même plus. La ligne morne des toits de duplex, les industries qui croupissent sous l'autoroute métropolitaine, le ciment gris et sale qui, je ne sais pas pourquoi, me fait toujours le même effet : quand mes yeux glissent le long du béton des échangeurs et des viaducs de chez nous, ça fait comme des ongles qui grattent un tableau noir. Je ne sais pas le dire autrement. Pas que les zones industrielles en France soient plus belles. Seulement, elles sont d'une laideur différente, elles ont quelque chose de nouvellement moche, et de propret, qui ne me fait pas le même effet.

Mais elle me réconforte, désormais, cette laideur familière de la périphérie de mon ancienne ville, de mon ancienne vie. Tout à l'heure, en arrivant, j'en pleurais. Le chauffeur de taxi, perplexe, m'a tendu un paquet de Kleenex. Il y a dans le nouveau décor de ma vie, la française, ce côté « je suis toujours dans un musée » qui, à un moment donné, finit par peser. Il y a deux ans, le Français qui partage ma vie et moi nous sommes installés dans un quartier peu touristique et pas officiellement joli. J'étais fatiguée de vivre à la Croix-Rousse, dans un appartement historique donnant sur une rue qui porte le nom d'un grand écrivain du XVIIIe siècle, près d'un square avec vue panoramique à couper le souffle. Lorsque je sortais faire mes courses ou que je déambulais dans les rues, j'avais l'impression de respirer un air saturé, lourd de la mémoire des vieux pays. J'ai fini par avoir l'impression d'être coincée dans une carte postale. Alors on a déménagé dans un quartier moderne aux allures vaguement américaines.

Bref. Dès l'atterrissage, tout à l'heure, j'ai sauté dans un taxi, posé ma valise dans ma chambre au Hyatt et pris le bus 80 pour aller voir mon ancien appartement dans le Mile End.

Avant de venir à Montréal, j'étais allée voir la tête que ça avait, sur mon écran d'ordinateur, grâce à cet outil fabuleux qu'est Google Street View. Ne me demandez pas comment mes doigts ont su, sans hésitation, taper mon code postal de l'époque dans la case prévue à cet effet. Je ne le sais pas. Il y a des choses comme ça qui me reviennent, le code postal rattaché à une adresse qui ne sera plus jamais la mienne, le numéro de téléphone d'un ami québécois perdu de vue depuis des décennies, et ainsi de suite. Des souvenirs inutiles.

Je ne sais pas de quand dataient les photos qui avaient servi à construire l'illusion, mais ce que je sais, c'est que quand, tout à l'heure, je me suis plantée pour de vrai devant mon ancien chez-moi, je n'ai pas réussi à m'émouvoir autant qu'en regardant les images sur mon ordi quelques jours plus tôt. C'était comme si ce qui apparaissait sur mon écran avait été plus vrai que le vrai jardin, le vrai balcon et la vraie porte du petit appartement juste devant moi. Je suis restée plantée là vingt minutes à essayer de faire venir l'émotion profonde qui, selon toute logique, aurait dû s'emparer de moi. Mais rien. J'ai marché du Mile End jusqu'au centre-ville, par l'avenue du Parc puis le boulevard Saint-Laurent et la rue Saint-Denis, j'ai fait exprès de parcourir ce trajet que j'ai parcouru tant de fois. Toujours rien, sinon l'impression que d'un moment à l'autre j'allais me réveiller dans mon appartement là-bas, aller préparer le café pour mon Français bien-aimé et moi-même, puis venir coller mon nez dans le cou de mon petit garçon et lui dire : « Bonjour, Monstrounet ! C'est l'heure de se réveiller pour aller à l'école ! »

J'attrape le menu que le serveur m'a laissé il y a une demi-heure. Si je n'étais pas si troublée, je saliverais sur la carte de ce bon petit resto montréalais somme toute ordinaire. Une énormité que j'aime clamer haut et fort dans ma vie française, pour faire de la provoc quand j'en ai assez d'être l'Autre de service mais aussi parce que c'est un peu vrai : nulle part en France ne mange-t-on aussi bien que dans les restos français de Montréal.

Je vais faire comme je faisais dans le temps. Je vais prendre deux entrées. Salade de betteraves à la féta et cumin rôti, puis proscuitto, figue fraîche et roquette vinaigrette. Voilà.

Mais ce shiraz californien est en train de m'arracher la gueule. Admets-le, ma vieille, tu es devenue snob. Assume. Je vais commander un morgon. S'ils en ont. Est-ce que ça se trouve ici ? Est-ce que ça coûte la peau du cul ?

J'ai beau plisser les yeux, je n'arrive pas à lire ce qui est écrit sur le menu. Je suis une astigmate qui n'a pas assez dormi et qui a bu trop de piquette nord-américaine. Et puis j'ai une nuée de guêpes enragées dans le torse. Elles sont en train de s'attaquer à mon ventre. Je crois qu'il faut que j'arrête de rêver à ce que je vais manger, et que je passe ma commande.

Je suis d'ailleurs allergique aux piqûres de guêpe et j'ai très peur que le Monstrounet le soit aussi. Il a quatre ans et il n'a jamais été agressé par une de ces sales bestioles, donc nous ne savons pas. Mais je lui ai déjà transmis ma peur hystérique des bibittes volantes rayées jaune et noir. Quand il en voit une, il fait comme moi : il hurle. Pauvre coco qui a pris ça de moi. J'espère qu'il ne pense pas trop à moi en mon absence. Qu'il vit sa petite vie de garçonnet.

Et puis comment veut-on que je me sente vraiment chez moi, là, maintenant ? Je suis ici et il est là-bas ! Je suis devenue cet animal bizarre, une mère. Ou plutôt je suis devenue moi en train de lutter pour apprendre à habiter ce nouveau rôle. Et je ne sais pas y faire. Je ne sais plus rien habiter convenablement de toute façon.

Home is where the heart is. Mon cœur de femme est suspendu au-dessus de l'Atlantique. Mon cœur de mère est resté scotché sur un mur de notre appartement, dans une ville de province française, là où le Monstrounet court dans le couloir pour aller chercher un jouet dans sa chambre. Là où on s'attendrit de ses petits mollets à croquer, de sa petite démarche et de sa tête bouclée qui dodeline quand il avance en chantant une comptine qu'il invente. De ses pieds nus qui font de la bicyclette dans les airs quand, assis sur son lit, nous lisons des histoires. Petits pieds copies miniatures de ceux de son père. Tout quitter pour ces pieds-là, ce n'est rien, je le referais en un souffle, *in a heartbeat* comme on dit si bien en anglais.

Je ne saurai jamais dire ce que c'est que d'avoir tout quitté pour recommencer ailleurs, presque de zéro. *Double bind. Win-win* et *lose-lose* à la fois et au carré. Pour parler de mon exil, même de ma langue je dois m'expatrier. Je migre vers l'anglais comme si seule une langue étrangère possédait les mots justes.

Je crève la dalle. Je pète de faim. *I could eat a horse*.

Mais je suis une fille bien élevée. Je vais retirer, pour m'adresser au serveur, les écouteurs de l'iPod qui faisaient tampon et m'empêchaient de trop me prendre en pleine poire l'ambiance sonore de ce resto où je venais si souvent dans mon ancienne vie.

Je retire les écouteurs. Je me la prends en plein dans l'*dash*.

Il faudra qu'on m'explique comment il se fait que le brouhaha des discussions, avec un accent qui a pourtant fait partie de la matière de ma vie pendant plus de trente ans, m'apparaît soudain totalement étranger. Comment puis-je m'être à ce point habituée à baigner dans une ambiance sonore à l'accent français en moins de dix ans ? Comment se fait-il que je puisse être surprise, perdue, voire angoissée en entendant, partout autour de moi, une multitude de gens qui parlent à peu près comme moi ?

J'entame ma salade de betteraves et mon troisième verre de shiraz californien. Je n'ai pas osé demander du morgon.

J'ai eu peur de passer pour une maudite Française. Là-bas je suis en crisse quand on me traite de «petite cousine» et qu'on s'extasie sur la légèreté de mon accent. Je ne veux être le cliché de personne.

L'exil, c'est vivre deux vies parallèles, celle que vous avez choisie loin de chez vous, et celle que vous imaginez se poursuivre chez vous pendant votre absence. L'immigration est une dissociation. Si je ne fais pas attention, je pourrais presque me dire que je n'ai jamais quitté le Québec. Ça me ferait l'effet d'un coup de poignard, de penser à ce que ç'aurait été si le Monstrounet n'était pas venu au monde. Je pourrais échafauder des hypothèses, des scénarios de ce qui aurait pu avoir lieu si je n'étais pas partie, et me faire une grosse frayeur, et me réveiller seule à ma table, paniquée, faisant le deuil d'une chose qui existe pourtant.

Maintenant que j'ai englouti la salade de betteraves, la pièce et ses occupants cessent de tourner dans tous les sens. Je commence à pouvoir les regarder. Je hasarde même un ou deux sourires. Il faut que je commande une bouteille d'eau. Pallier la nervosité par l'excès d'alcool, c'est un truc qu'aurait fait l'ancienne moi.

Je fais signe au serveur et, en lui demandant une bouteille de San Pellegrino, j'essaie de ne pas m'écouter parler, de ne pas surveiller dans cette petite phrase – «'Scusez, j'peux vous demander une grande bouteille de San Pellegrino, s'il vous plaît?» – les traces de l'exil ou ma capacité caméléonesque à les camoufler comme une froussarde. Par exemple, là-bas, je n'aurais pas dit «'Scusez», j'aurais dit «Pardon». Et quand je suis toute seule chez moi et que je me cogne le gros orteil contre une patte de chaise, le premier mot qui sort est un «putain!» bien senti, mais prononcé à la québécoise. Je me demande si je me cognerai le gros orteil quelque part pendant mon séjour ici, et quel type de juron m'échappera pour exprimer ma douleur. Si je dirai, par exemple, « tabernacleuh ».

C'est quand je le serveur m'apporte mon dessert (ganache au chocolat, pistaches caramélisées et chips de poire) que les choses se corsent et que je commence à me sentir déraper. Voilà, ce soir, ici à Montréal, dans ce resto où je venais si souvent dans mon ancienne vie, il se passe un truc étrange, une nouvelle version de l'hallucination classique de l'expatrié : tous ces gens dans la salle, assis à leur table, me rappellent quelqu'un. Leurs visages me semblent familiers, mais ils ont tous des têtes… de Lyonnais ! Même cette femme assise juste devant moi, grande et sublime, un brin masculine, avec des traits d'héroïne d'Almodovar, est le portrait craché d'une de mes voisines d'immeuble !

Je prends une gorgée de mon déca-*latte* pour me ressaisir et voilà que cette boisson perverse me joue le putain de tour de la madeleine proustienne. Sur la gouttelette tout à fait palpable du liquide fumant s'élève l'édifice petit et carré qui abrite, près de chez moi, en France, un café Starbucks.

Un jour de pluie, j'étais sortie abattue d'une de mes premières visites à la préfecture, à la fois dégoûtée et terrorisée par la perspective de vivre dans cette contrée spectaculairement hostile. À l'époque, je confondais encore la bureaucratie et la France tout court. J'étais impressionnable. Bref, on m'avait accueillie comme dans un cauchemar et j'étais allée me réfugier dans un café Starbucks, horrifiée par *all things French*. Le *latte* avait exactement le même goût que celui que je suis en train de boire. Et j'avais eu encore un serrement de cœur supplémentaire en croquant dans mon «*pancake*» au sirop de poteau. Des haut-parleurs émanait, comme exprès, un mix musical tellement inscrit dans la mémoire collective nord-américaine que j'avais fini par ne plus savoir où j'étais. Un enchaînement particulièrement ravageur : « Changes » de Bowie, « Rock'n'Roll Will Never Die » de Neil Young, « Philadelphia » de Springsteen, « Dust in the Wind » de Kansas, « Where It's At » de Beck, « Hurts So Good » de Mellencamp... Quand les premières notes de « Foolish Games » de Jewel avaient retenti, j'avais failli bouffer ma tasse de porcelaine tellement je n'en pouvais plus.

Je parcours le restaurant des yeux, affolée, à la recherche de quelque chose à quoi me raccrocher. Tu es à Montréal, ma vieille. Pour la première fois depuis deux ans et demi. Tu viens pour un colloque. Tu t'es remise à travailler. Respire.

C'est vrai, j'ai aussi une vie là-bas, maintenant, des habitudes et des gens que j'aime. Ma vie de là-bas et moi commençons enfin à nous ressembler. Ne pas y penser trop longtemps, car ça donne le tournis.

Mon regard tombe par hasard sur cette fille assise seule. Et le sien sur moi.

Elle doit avoir mon âge mais elle a l'air plus fatigué. Elle me regarde droit dans les yeux, avec un sourire triste. Elle buvait exactement la même chose que moi, shiraz californien, mais sa bouteille est vide et elle a commandé un digestif. Nous mangeons le même dessert et c'est au moment de l'entamer que nos regards hésitants se surprennent. (Ce regard de la femme qui essaie de s'autoriser un plaisir coupable mais qui hésite à le faire.) Nous nous découvrons comme ça, cuillère en l'air, et quelque chose (se) passe. C'est comme surprendre son reflet dans un miroir et se rendre compte qu'il ne ressemble pas à l'image qu'on se faisait de soi-même.

Elle porte les cheveux longs, attachés en un chignon au désordre étudié. Elle assume pleinement cette grande mèche grise, placée exactement au même endroit que celle que j'ai aussi mais que je dissimule sous la teinture. (J'ai déjà assez d'adaptations à intégrer comme ça, dans ma vie de là-bas, alors apprivoiser les nouvelles rides et l'apparition des cheveux gris, ce sera pour plus tard. On ne peut pas avaler tous les changements à la fois, bordel de merde!) En revanche, la fille que je regarde et qui me regarde a sur les paupières exactement la même ligne de khôl noire que moi. Elle a la peau mate comme moi. À côté de son assiette, un paquet de cigarettes de la même marque que celles que je fumais du temps de ma vie ici, des John Player's Special. Elle porte une robe noire dangereusement décolletée qui la boudine un peu, mais ce n'est pas sans charme. (Je suis en train de porter sur elle le regard attendri que j'étais incapable de porter sur moi-même jusqu'à il n'y a pas si longtemps, ma parole!) Elle me ressemble à mort sans me ressembler. Évidemment, je ne suis pas vêtue comme une nonne (même si j'essayais très fort, je n'y arriverais pas); évidemment, il n'y a pas tant de différence que ça entre ma jupe droite légèrement ajustée, mon t-shirt noir légèrement décolleté, et sa tenue à elle. Mais entre nous deux on sent quand même cette différence: il y a un truc auquel j'ai renoncé et pas elle. Une forme de séduction. Une attention permanente, une inquiétude perpétuelle face aux regards des autres.

Soudain, son téléphone portable se met à vibrer sur la table. Elle s'en saisit. Elle a apparemment reçu un texto. Elle a du mal à lire, il faut qu'elle ferme un œil pour faire le foyer. Est-elle astigmate elle aussi? Quand elle a fini de déchiffrer le message, son visage est soudain envahi par une tristesse qui me fend le cœur. Pour se donner une contenance, elle hausse les épaules et offre à la salle qui l'ignore (à l'exception de moi, son reflet déstabilisé) un sourire de star déchue. Elle prend son téléphone, en ferme le clapet et le jette dans la carafe d'eau laissée inutilement par le serveur sur sa table. Elle me regarde la regarder. Elle dit, en bougeant les lèvres, et je dis en même temps qu'elle, en *lip-synch*, cette phrase à moi que j'avais oubliée, triste aphorisme de ma jeunesse : « Après tout, mieux vaut être seule que mal accompagnée ! » Comment je savais qu'elle allait dire ça ? Bonne question.

Elle baisse les yeux. Elle se frotte les tempes et ses cils battent un peu trop tout d'un coup. Je crois qu'elle a bu plus que moi. Elle se tient le ventre. On dirait qu'elle va être malade. Elle se penche et, en repoussant son assiette, elle couche la tête sur la table. Je vois son ventre pris de spasmes. Oh, non, elle ne va quand même pas vomir ?!

Lorsqu'elle relève le visage pour me regarder, en larmes, elle fait un faux mouvement et son assiette va se fracasser par terre. Le serveur s'approche d'elle et se penche, posant doucement la main sur son épaule. On dirait qu'ils se connaissent bien. Il semble lui dire des paroles réconfortantes. Je suis là, en face, ma cuillère à dessert suspendue dans les airs, et juste au moment où j'allais me dire que le décalage horaire a décidément un effet monstrueux sur moi, qu'il faut que je finisse ce repas et que j'aille dormir, je jurerais que le serveur, entraînant la fille aux toilettes, prononce mon prénom. Il la réconforte et le répète, à chaque phrase, pour la rassurer.

Je me lève brusquement et c'est à mon tour de ficher mon assiette par terre. Je me lance à leur poursuite.

Il la conduit sûrement aux toilettes. Ça ne peut être que ça. Je ne veux même pas imaginer ce que se disent les autres clients en me voyant passer, éperdue, courant à petits pas à cause de ma jupe fourreau, cherchant du regard mon sosie malade de boisson et son sauveur.

Je descends précautionneusement l'escalier menant aux cabinets, agacée par le clic-clac de mes bottines à talons hauts. Les marches sont glissantes comme un trottoir glacé. Arrivée en bas, je croise le serveur qui marche dans ma direction, sans doute pour monter reprendre son poste.

— Elle va bien ? que je lui demande de but en blanc.

Son regard surpris et un peu énervé m'étonne.

— Qui ça ?

— Ben... la fille qui était malade... Celle que vous avez emmenée aux toilettes...

— Désolé, je pense que vous me confondez avec quelqu'un d'autre. Les toilettes sont en face.

Et il me plante là. Je me précipite vers les toilettes et en pousse la porte, à bout de souffle et le cœur au bord des lèvres. Ce que je vois alors me tétanise, et c'est le plus naturellement du monde que me viennent ces mots, que je les hurle :

— Ah ben, j'ai mon crisse de voyage !

Il y a une rangée de lavabos et de miroirs dans un superbe décor tout de gris métallique, d'émail blanc et de rouge sang. Et debout dans le troisième lavabo, il y a la fille qui porte mon prénom. Du moins j'en conclus que c'est elle puisque je n'ai croisé personne d'autre que le serveur entre ma table et les toilettes, puisqu'il n'y a personne d'autre ici. Elle est en train de passer de l'autre côté d'une des glaces rondes qui surplombent chacun des lavabos. *Myself* au pays des merveilles est en train d'entrer dans le miroir, et au moment où je l'appelle (ça fait très étrange de hurler éperdument son propre prénom) il est trop tard, le talon de sa deuxième bottine disparaît.

Je me jette devant le lavabo et je tape de toutes mes forces sur la surface de verre en criant « notre » prénom. Je jette mon sac à main sur le carrelage et j'entreprends de faire comme elle, me fichant bien de l'allure que je dois avoir avec mes bottines chics, mes bas résille et ma jupe droite remontée en accordéon jusqu'à la taille. Je grimpe dans le lavabo et essaye de traverser le miroir.

C'est lorsque je vois mon propre reflet, le vrai, ce visage ahuri, ce rimmel qui fait des coulées noires sur les joues, ce rouge à lèvres tout étalé autour de la bouche, ces yeux hagards, ma position ridicule, que je comprends qu'il faut que je me calme.

Je redescends de mon perchoir – je ne peux qu'imaginer ce qui se serait passé si je m'étais acharnée, un plan pour décrocher le lavabo et causer une inondation – et je me tiens devant le miroir, debout, bien droite, une part de moi essayant malgré moi de voir, derrière mon bon vieux reflet, celui de la fille. Je tente de respirer profondément. J'asperge mon visage d'eau fraîche. J'éclate en sanglots.

Je pleure un moment sans penser à rien. De grands hoquets de petite fille. Je laisse couler l'eau fraîche et de temps en temps j'en fais glisser entre mes doigts. On dirait que ça me reconnecte un peu. Des images du Monstrounet et des échos de sa voix commencent à remonter à la surface de mon esprit embrumé. Et surtout, c'est bizarre, mais on dirait que le sommeil me gagne.

Il faut se rendre à l'évidence : j'ai trop peu dormi avant le voyage, nerveuse et excitée que j'étais. Je n'ai pas fermé l'œil de tout le trajet. Il se fait tard, j'ai bu presque une bouteille de vin à moi toute seule, je ne suis pas rentrée au Québec depuis plus de deux ans, je vieillis. Et ainsi de suite.

Juste au moment où les hoquets cessent enfin et où j'arrête de renifler la porte des toilettes s'ouvre. Vraiment pas envie qu'on me voie comme ça. Faut pas pousser (mémé dans les orties). Je me réfugie dans une cabine, serrant contre moi mon sac, retenant mon souffle. J'appuie ma joue contre le muret froid à ma droite. Je continue de respirer profondément et je me répète dans un souffle, en boucle, qui je suis, quelle est mon adresse, en quelle année nous sommes, de qui je suis la femme, de qui je suis la mère, pourquoi je suis là, qui je suis, quelle est mon adresse, en quelle année nous sommes, de qui je suis la femme, de qui je suis la mère, pourquoi je suis là, qui je suis, quelle est mon adresse, en quelle année nous sommes, de qui je suis la femme, de qui je suis la mère, pourquoi je suis là, qui je suis, quelle est mon adresse, en quelle année nous sommes, de qui je suis la femme, de qui je suis la mère, pourquoi je suis…

C'est quand j'entends mon téléphone sonner que je me rends compte que je me suis endormie là, assise sur le siège des toilettes. Je fouille frénétiquement dans mon sac et je m'empresse de répondre. Je n'ai pas besoin de vérifier le numéro affiché. Je sais que ce sont eux, le Monstrounet de ma vie et son père.

— Allô mamôn ? C'est moi ! C'est moi !

C'est lui. Lui lui lui lui lui lui lui ! Il babille, il bavarde, il me raconte sa vie avec son petit accent français. Je n'y comprends pas grand-chose, parce qu'il va trop vite tant il est excité et que moi je suis émue, mais je m'en fiche. Le son de sa voix, sa manière d'être essoufflé. *Feels like home.* Il me dit qu'il m'aime et que je suis « la plus zolie de toute la galaxie ». Il me passe son père.

— Ça va, mon amour ? T'es où ? me dit cette voix qui m'a, un jour, il y a dix ans, redonné envie de vivre.

— Tu ne me croiras pas. Je me suis réfugiée dans les toilettes d'un resto coin Saint-Urbain et Sainte-Catherine. J'essaie de me ressaisir. Je suis tout à l'envers. Je suis épuisée, tellement que j'hallucine des affaires... Je te raconterai ça une autre fois. Vous me manquez!

— T'es sûre que ça va? Tu m'inquiètes...

— Non, non, t'en fais pas, ça va aller. Dis-moi plutôt comment ça va, vous deux? Vous êtes déjà réveillés?

— Je sais, c'est comme si le petit était en décalage horaire lui aussi! Ton fils et toi, j'te jure!... Mais ça va. Hier, il y avait photo de classe à l'école. Évidemment, tu me connais, j'avais oublié. J'avais laissé le petit choisir sa tenue... Il était tout bariolé. Je suis arrivé à l'école et j'ai vu tous les autres gamins tirés à quatre épingles, et alors... la honte!

— Oh non..., que je lui réponds, et je suis certaine qu'il m'entend sourire.

— Alors j'ai pensé à toi. Je me suis demandé: « Qu'est-ce qu'elle me répondrait si elle était là? »

— Et?

— Et je t'ai entendue, je te jure, pile comme si tu avais été là, devant moi, me dire: « Mais, mon amour, ces photos, elles sont pour nous et pour le petit, pour que nous ayons des souvenirs de ce qu'il était à quatre ans pour de vrai! Pas pour que nous ayons des traces de ce à quoi il aurait ressemblé dans les rêves tordus d'une bande de maudits Français coincés! »

Je ris franchement cette fois. Et je pleure en même temps, un peu. Mon Français préféré me connaît comme s'il m'avait faite.

— Allez, je vais y aller, me dit-il tendrement. On s'appelle quand tu veux.

Je suis tout à fait calmée, à présent.

— Essaie d'en profiter, mon amour, me dit-il tout doucement. Depuis le temps que tu en rêvais! Rappelle-toi comme tu n'arrêtais pas de dire que Montréal te manquait trop, ces derniers temps ! Un vrai disque rayé !

— Oui, je sais, mais maintenant c'est vous deux qui me manquez. Maudite tare de l'exilée. On dirait que je ne serai plus jamais chez moi nulle part…

Et alors c'est lui qui sourit en silence à l'autre bout du fil. J'entends ces petites saccades dans sa respiration qui m'annoncent qu'il va me dire un truc important.

— Pas la tare de l'exilée, mon amour. Sa force. Tu sais exactement ce dont tu as besoin pour te sentir, n'importe où sur Terre, chez toi.

Je lui dis que je les aime et que ça ira. Je raccroche. Je me lève et je sors de la cabine. Je quitte les toilettes. Je ne regarde pas ce qu'il y a dans les miroirs. *Don't press your luck*, ma vieille. Trace ta route. Va finir ton dessert. Va te coucher. Demain, tu fêtes ton retour avec tes amis d'ici, tes indéfectibles, les potes de toujours et pour toujours. Si tu prêtes bien l'oreille, tu entendras déjà vos rires carillonner.

Alors que je monte l'escalier pour me diriger vers ma table, les premières notes de « Mama I'm Coming Home » d'Ozzy Osbourne envahissent l'espace.

Je souris. Ça ira.

Ça ira. Je suis à Montréal. Je suis chez moi.

DANS LES BOSQUETS

Claudia Larochelle

« Le rêveur cherche en vain le moule et la forme qui conviendraient à son essence éthérée. Comme un tailleur céleste, il essaie un corps après l'autre, mais tous sont ratés. Finalement, il est contraint de se rabattre sur son propre corps, de réintégrer le moule de plomb, de redevenir prisonnier de la chair, de continuer dans la torpeur, la peine et l'ennui. »

Henry MILLER, *Sexus*, *La crucifixion en rose*

Dans la cour de l'école de chaque bled perdu se cachent des petites filles qui montrent leurs seins sur l'heure du midi. Parfois, elles touchent le sexe des garçons et se laissent embrasser avec la langue. Tout le monde sait, mais personne ne voit. Seuls quelques privilégiés ont droit à ces caresses, dissimulés derrière les bosquets, haletants et rougeauds. Certains plus développés que d'autres atteignent ainsi l'orgasme pour la première fois. Pas elles. Tiraillées entre des sentiments de honte, de fierté, de bienveillance et de pudeur, elles ne savent pas profiter des caresses d'une bouche trop mouillée sur leur poitrine naissante ou d'une main maladroite dans leur slip. Ça viendra plus tard. Certaines repartent avec quelques dollars à mettre dans leur tirelire, d'autres avec des bonbons et une réputation de fille facile. Pas particulièrement jolies, souvent plus en chair que la moyenne, les vêtements démodés et pas toujours très propres, elles réussissent particulièrement bien en classe, mais ont peu de copines avec qui magasiner ou aller au cinéma les fins de semaine. Je le sais, j'étais de celles-là.

Je ne demandais pas un sou aux gars qui venaient vers moi, un peu timides. Il y avait les frères Labrecque, plus vieux que tout le monde à force de redoubler année après année; Olivier Dumas, à qui ses lunettes donnaient de gros yeux de grenouille; et Sergei Roumanescu, le seul immigrant de notre banlieue de la Rive-Sud, qui ne connaissait que quelques mots de français. En classe, pour les travaux, personne ne voulait faire équipe avec lui, de peur de perdre des points. Juste avant d'aller avaler des pogos réchauffés au micro-ondes à la maison, où j'étais toujours seule pour le dîner, j'héritais donc des éclopés de l'école Sainte-Gertrude. Les plus beaux, les champions au ballon chasseur et les comiques qui faisaient rire la classe, ils se faisaient facilement des amoureuses et ne se seraient pas approchés de moi. J'étais celle qui n'accueillait que la sueur des rejetés et la bandaison des désespérés.

Au fond de la classe où, beige comme les murs, j'écoutais attentive les instructions de l'enseignante, même mes plus fidèles compagnons d'effusions ignoraient ma présence. Je me sentais malgré cela légère et comblée de gratitude. J'étais bonne. J'aimais ces jeux de touchers avec ces gars-là. Le malheur n'affecte pas toutes les jeunes filles qui suscitent la pitié : bien souvent, elles s'accommodent de ce qui leur est offert; réjouies d'une victoire aux billes, d'une partie parfaite à l'élastique ou d'une érection satisfaisante qu'elles auraient provoquée.

J'ignorais que j'étais d'un rang inférieur, une poquée salie de la moutarde des pogos, aux regards de ceux qui soupçonnaient mes vices. Candide, idiote ou simplement contentée avec mes caresses et mes jeans trop serrés, je souriais tous les jours. En regardant mes photos d'écolière, à l'occasion desquelles ma couturière de mère réalisait des exploits d'esthétisme sur sa fille de onze ans et demi, je ne vois pas l'ombre d'un nuage gris traverser le portrait. Le dos un peu courbé, certes, et les dents croches ; j'arborais une tignasse rousse permanentée, la frange crêpée et du rouge sur les joues comme une armure pour faire face à la médisance. Au bout d'un temps, les vilains ont cessé de cogner sur ma bonté inépuisable.

Oui, les gentils finissent par gagner ; ensanglantés comme le petit Jésus sur sa croix, à bout de souffle et endoloris jusque dans les os, ils ressuscitent méconnaissables, encore bons jusqu'à la moelle, mais désormais respectés. Pour les siècles des siècles. Amen.

* * *

Je me signe chaque fois que je me retrouve seule devant la glace des cabinets publics. Ma manière à moi de me bénir, de me rappeler à ma foi avant de me remontrer en société. Le bon Dieu doit pouvoir m'entendre plus clairement parmi la foule désormais décimée des croyants. S'il a le choix entre deux ou trois vieilles dames apeurées devant la mort, un alcoolique anonyme, un bandit repenti et moi, jeune trentenaire pétillante, le Tout-Puissant doit bien m'apercevoir en premier. Et puis, je suis devenue jolie avec le temps ; les cheveux teints en blond, lustrés, coupés au carré par des coiffeurs branchés du Mile-End. Je mange végé, je bois des vins que je peux commenter, je cause politique et littérature, je vais à l'opéra et au théâtre. Et je rentre dans ce moule sans que personne ne puisse imaginer que sous ces vêtements griffés par des designers québécois, sous cette chair un peu dodue, respire encore une petite fille rousse qui jadis, la clé suspendue dans le cou, explosait d'amour à donner dans des jeans trop serrés tâtés par des mains d'hommes en devenir.

Je croyais qu'en m'installant en ville, en devenant une photographe renommée, blogueuse reconnue dans les médias, amie de quelques célébrités, désirée à l'occasion par des hommes populaires, mon aura rose *peppermint* prendrait des teintes plus sombres, qu'elle traduirait une personnalité plus complexe, me ferait paraître moins accessible, plus snob, voire même narcissique et égoïste. Elles sont si belles celles-là, les détestables qui se croient au-dessus de tout. Elles ne donnent rien d'elles, sauf des regards de feu ceints de cils allongés au mascara dernier cri et des nez refaits qui pointent vers le ciel pour montrer que c'est là-haut qu'elles vivent, à la place des étoiles, s'endormant seules le soir avec des gouttes de champagne séchées à la commissure des lèvres. Nous ne sommes pas tissées du même fil, elles et moi. Elles n'accepteraient pas d'être vues aux côtés d'un amant pas comme les autres, un homme dont elles auraient honte, un être qu'elles ne remarqueraient pas à moins de coincer par mégarde leur étole de cachemire dans les roues de son fauteuil. Être avec lui, pour moi, ça allait de soi. Qui d'autre que moi pour le caresser ?

* * *

Fabrice et moi nous sommes rencontrés à un vernissage. Ami lointain d'une ancienne compagne d'université, il avait tout de suite attiré mon attention dans la foule, à l'écart, tout recroquevillé, paquet d'os fragile et vulnérable. Lourdement handicapé, il attirait les regards instantanément, avant d'être vite oublié, perdu dans le tintement des coupes de vin, les exclamations spontanées des invités, déjà très occupés à se surveiller entre eux, plusieurs à la conquête peu subtile de l'amour ou d'une histoire sans lendemain. Il aurait pu avoir vingt ans ou quarante. Ses yeux immenses, intelligents et inquisiteurs me troublaient trop pour que je passe mon chemin sans l'aborder. Je lui offrirais quelque chose à boire et j'en profiterais pour lui parler quelques minutes avant l'arrivée du reste du groupe de copains.

Avant de l'approcher, j'avais détaillé son corps : une tête ronde enfoncée directement dans un torse bombé, de longs bras comme des tentacules de pieuvre, de petites jambes, mais surtout un visage alerte, prêt à réagir en déliant une langue que je soupçonnais bien pendue derrière une bouche large. Rien pour me faire fuir, tout pour attiser ma curiosité de photographe qui vouait un culte à l'œuvre de l'insolite Diane Arbus. Ce corps déformé par l'ostéogénèse imparfaite (ou « maladie des os de verre », un défaut congénital très rare qui, comme il me l'a appris plus tard, se caractérise par une fragilité excessive de l'ossature). J'ai eu envie qu'il soit incassable dans mes pensées, immobile et intact dans la lumière. J'ai vu chez ce Fabrice, informaticien passionné, un être à couver pour que rien ne le brise, et voulu lui offrir douceur et volupté sans rien attendre en retour. Étrangement, vingt ans plus tard, je m'apprêtais à retrouver ma clé au cou et mes chemisiers tachés de moutarde. Je souriais à ce souvenir.

On ne s'est pas quittés de la soirée ; commentant les toiles, la tenue des gens, la musique et tout ce qui vient avec ces événements branchés, qui peuvent devenir lassants.

On s'est ensuite écrit sur Facebook, avant que je commence à lui rendre visite dans son appartement adapté. Un soir où nous avions trop bu, il m'a avoué n'avoir jamais embrassé une femme en trente ans d'existence. C'est si simple, si intuitif de tendre la bouche quand on s'appelle Madeleine ! Je lui ai présenté mes lèvres pour qu'il connaisse le goût de la salive, les variations de texture de cet endroit précis du corps et les premières vibrations de plaisir qui s'immiscent en l'aventure si le baiser s'accompagne de caresses dans les cheveux, dans le dos ou plus bas. Nous ne sommes pas allés plus bas. Pas ce soir-là.

Mais c'est arrivé quelques semaines plus tard, alors que nous étions en état d'ivresse – c'est toujours après la quatrième coupe de vin que je déboutonne le plus aisément mes chemisiers et que j'abaisse des fermetures éclair de jeans. Je lui ai proposé de l'initier aux jouissances de la chair. Comme ça, pour lui faire plaisir, parce que je savais bien qu'aucune autre femme ne le lui proposerait. Je ne quémandais pas un rond ; il s'agissait là d'un acte de bonne foi, du cadeau d'une amie, d'une affaire qui n'impliquait rien d'autre qu'un contact charnel. J'aurais été mariée et mère que je me serais proposée de cette manière légère et naturelle, comme on s'offre pour faire la vaisselle après un repas chez des amis.

Sur le coup, il ne m'a pas crue ; me traitant d'aguicheuse de la pire espèce, de perverse et de manipulatrice aux mœurs légères. Je mourais bien sûr d'envie de découvrir quel sexe se cachait derrière ces pantalons de gamin ; sa forme, sa capacité de raideur et les réactions engendrées par une première relation sexuelle. Fabrice n'était jamais allé voir les putes, et la pornographie l'avait vite lassé. Je savais à quel point « faire l'amour » comptait pour lui, que ce serait déterminant dans sa vie. « Pour moi, baiser, c'est pas la fin du monde. C'est le début du monde…, m'avait-il avoué des mois auparavant. C'est la dernière frontière entre le regard des autres et la normalité. C'est la différence entre être handicapé et se sentir homme. »

Cette première nuit passée avec moi, Fabrice a pu bénir sa masculinité quand des frissons interminables lui ont fait ressentir l'orgasme jusque dans ses os, aimés pour la première fois. Même malade, même déformée, opérée et cicatrisée mille fois, cette ossature maudite devenait l'armure de tous les guerriers, un souvenir sur lequel s'appuyer pour prendre de l'âge avec quiétude.

C'est ainsi que nous nous donnons rendez-vous dans ce restaurant tous les mercredis à 20 heures, pour partager un repas avant de passer la nuit ensemble, avant que je retrouve ce sexe aussi normal que les autres à prendre dans mes mains et dans mon corps ; avant que je masse cette peau que lui seul, sa mère et un nombre incalculable de spécialistes ont effleurée. Des moments que je rêvais de photographier. Il redevient l'enfant candide, tout en apprenant ce que font les hommes pendant l'acte : la prise en charge de l'autre, la retenue et l'emportement.

Juste avant de quitter la table après un dessert sucré et un digestif avalé à petites gorgées, je m'engouffre dans les toilettes spacieuses du sous-sol pour compléter ce rituel, amorcé chaque semaine dans cet endroit branché où l'on me croit à la fois infirmière, sœur, cousine, amie désirée.

Y a-t-il tout de même des clients qui remarquent ses deux courtes chaussures de sport qui tressaillent sous la table et sa menue main droite qui secoue le verre d'eau pour faire résonner les glaçons qui s'entrechoquent ? Ces tics qui trahissent son envie d'exister avec moi loin des regards indiscrets n'ont certainement pas échappé à la curiosité de certains. D'ailleurs, nos rares instants d'effusions publiques ont tous été interceptés et accueillis par des expressions désapprobatrices ou des chuchotements. Pour certains, je passe sans doute pour celle qui profite d'un homme vulnérable et handicapé, celle qui pourrait tout lui dérober…

Devrais-je me sentir coupable du fait que, après lui avoir prodigué mes bons soins, en pleine possession de mes qualités artistiques, l'œil aiguisé, les réflexes à vif, je cherche à capturer les instants, à intercepter la microseconde où le modèle devient celui qu'il n'a jamais montré ; seul moment de mon existence où je prends l'autre, aspirant son énergie vitale, égoïste pour une fois ? Fabrice prend la pose pour jouer ou s'endort en ignorant ma Nikon. J'aime voir chacune de ses anomalies physiques se détendre enfin, ses muscles se décrisper un à un, son ossature trouver refuge dans ce halo de douceur qui reste après nos ébats. Ainsi recueilli dans le silence de sa chambre, abandonné dans une nudité émouvante, il pourrait presque avoir l'air en parfait état physique, insubmersible. L'idée de lui faire un enfant m'effleure même parfois. Cet homme qui ne partirait jamais a le charme infini de ceux qui rassurent.

Pendant que Fabrice m'attend, toujours très patient, à la table tout près de la sortie du restaurant (nos places habituelles pour qu'il puisse circuler sans déranger les autres clients), aux toilettes des dames, l'immense glace invitante me renvoie l'image de mes lèvres pulpeuses, enduites d'un rose pâle qu'il apprécie. Je réapplique au pinceau une nouvelle couche de fond de teint sur ma peau trop blanche et du fard à joues dans les tons de pêche, élément cosmétique destiné à créer une ultime barrière entre ma nudité et celui qui s'en délecte, tous les mercredis, dans son lit adapté.

Fabrice a fait installer un coin détente avec une lampe pour que je puisse lire à ma guise avant ou après l'amour. Il y dépose parfois un grand bol de fruits et une carafe d'eau fraîche remplie de tranches de citron et de feuilles de menthe. Tout pour mon bien-être, ma relaxation et mon envie de me donner encore et encore, ne l'abandonnant jamais au milieu de son désir de plus en plus insatiable.

Tout cela pourrait finir par m'épuiser à la longue. Mais je prends conscience de tout ce temps d'absence affective qu'il doit rattraper. J'imagine que c'est pareil pour les prêtres qui défroquent et se marient enfin après des années de piété à se retenir ou à se flageller pour se punir de pensées impures. L'appétit sexuel doit atteindre des sommets propres à rassasier celles qu'ils pénètrent, d'abord avec pudeur, puis avec lubricité. Il faut bien qu'ils se gavent pour compenser, de peur que tout disparaisse encore, comme les mirages du désert.

En m'observant, moi, Madeleine Lévesque, femme mignonne un peu potelée qui savonne ses mains au lavabo, je me trouverais bien malhonnête si je niais les vagues de plaisir ressenti dans cette sexualité peu commune. Après six ou sept séances, je commence à atteindre mon nirvana, à me surprendre à en redemander à Fabrice. Cette sincérité dans mon faciès abandonné aux caresses le rend si fier que je ne m'imagine pas mettre un terme à nos activités. Même le médecin qui le suit depuis l'enfance a noté avec surprise un net assouplissement de sa structure osseuse. Son psychologue ne l'a jamais vu aussi confiant et sa mère ne comprend pas cette soudaine propension à l'achat compulsif de vêtements haut de gamme et ce goût nouveau pour la décoration intérieure. Je suis en train de changer cet homme dont j'empourpre les joues; je deviens cette faiseuse de miracles et j'aime me le rappeler, fixant chaque semaine mon image dans les miroirs de notre restaurant fétiche. Je me décrypte, me rappelant qu'il faudra pousser le fauteuil roulant, m'excusant au passage d'avoir à frôler le mollet d'une inconnue, avant de ne faire qu'un seul être avec lui. « Un pied de nez à la mort », qu'il aime dire pour remercier le ciel de m'avoir mise sur sa route par un soir de vernissage.

Je m'assure d'ailleurs d'être bienveillante avec tout le monde, à tout instant. J'y vais de courtoisie, de finesse et de diplomatie. Tiens, je pourrais même demander un tampon à cette trans qui vient d'entrer dans les toilettes. Ça la rassurerait sur la réussite de sa transformation. Une fois de plus, je serais attentive aux besoins d'autrui. J'ai si souvent été vilaine…

Il m'arrive la nuit de repasser en boucle le souvenir de cette fois où, enfant, j'avais volé un sac de chips au dépanneur du village. Monsieur Gauthier, le propriétaire, m'avait pincée sur le fait avant de téléphoner à mon père, qui s'était empressé de venir me chercher dans sa vieille Tempo noire. Il m'avait empoignée solidement par le bras avant de me lancer sur la banquette arrière au cuir surchauffé par la chaleur estivale. Je me souviens de la robe jaune à tulipes rouges que je portais, des regards embarrassés des clients, de la honte, et des regrets d'avoir été prise sans même avoir pu goûter au sel de mon butin. Jamais plus je ne pourrais remettre les pieds au dépanneur, même pas pour aller chercher des paquets de Craven A pour mes parents. Cet été-là, on m'avait privée de bicyclette et de télévision. Je m'étais mise à lire; des *Archie*, puis tous les romans de Guy des Cars et de Han Suyin, que ma mère adorait. Je ne comprenais rien à ces auteurs, mais il n'y avait que ça dans la maison pour m'aider à passer à travers mon été avant de retourner sur les bancs d'école. Pour me faire regretter mon vol, mes parents m'avaient aussi obligée à faire toutes les tâches ménagères de la maison, en plus d'aller chaque jour offrir mon aide aux deux foyers de personnes âgées du coin. Avec les vieux, j'ai joué au paquet voleur et, quelquefois, je les ai aidés à marcher dans la cour clôturée.

Monsieur Gauthier est mort d'un cancer fulgurant l'automne dernier. Je me demande s'il se souvenait de ma gourmandise et de ma robe jaune à tulipes rouges. Une tresse française enjolivait mon minois désavantagé par d'immenses joues couvertes de taches de rousseur. Est-ce qu'on se souvient des fillettes jolies davantage que des laides ? De celles qui commettent des péchés ou de celles qui sont bonnes ?

Puis, il y a eu, un ou deux étés plus tard, ces jardins privés de mon village que j'avais pillés pour en vendre les récoltes et amasser un peu d'argent de poche. On a rapidement découvert mon petit stratagème, et j'en ai été quitte pour un autre été prisonnière au sous-sol climatisé à élaborer toutes sortes de discours pour convaincre mes parents de ma détermination à me remettre sur les rails, à devenir une petite fille responsable. Seul hic : comme je possédais de la graine de moqueuse et un peu d'esprit – don hérité de ma grand-mère Lévesque, une grosse dame un peu timbrée –, j'avais remplacé les légumes arrachés dans les jardins par des boîtes de conserve contenant les mêmes aliments. Bien sûr, les jardiniers étaient loin d'avoir trouvé ma blague rigolote… et des légumes aussi frais que ceux qu'ils cultivaient avec amour ! Dans les albums d'*Archie*, cette idée malicieuse de Jughead m'avait fait rire. Mon jugement n'était pas au point. Il demeure défectueux encore aujourd'hui, j'ai parfois l'impression qu'il faut lui donner des chocs électriques pour le redresser. Pour réparer ce méfait, j'ai fait du porte-à-porte avec mon père pour exprimer mes regrets à tous les voisins, même ceux qui ne cultivaient pas de jardin.

S'il n'y avait eu que ça, pensé-je en sortant un comprimé de Xanax de ma trousse à maquillage... S'il n'y avait eu que ces petits péchés enfantins, ceux-là et les autres qui ont fait de moi, petite, une plagiaire, une faussaire, une menteuse ou une voyeuse. S'il n'y avait eu que ça, je ne serais pas là à faire attendre à une table pour deux mon « ami handicapé ». S'il n'y avait eu que des faux pas de jeunesse, je penserais à faire des photos, à gagner des concours, à encaisser des sous, à voyager, à sortir avec les copines, à me trouver un amoureux, à m'établir comme toute bonne trentenaire finit par le faire après des années d'errance. Je serais passée à côté de Fabrice le soir du vernissage. Peut-être que je l'aurais abordé pour le photographier rapidement, comme l'aurait fait Diane Arbus. Je n'y aurais plus pensé après, sauf en vendant ma photo ou en la publiant sur mon blogue pour m'attirer des clics. Je n'aurais plus pensé à mes égarements préadolescents dans les bosquets. Je me serais sentie pleine de bonté en cédant ma place à une vieille dame dans l'autobus et je m'en serais contentée, rassurée pour un temps sur ma nature humaine quasiment sans faille.

* * *

Comme si elle m'avait entendue penser – il m'arrive aussi de le faire à haute voix –, une gamine dodue, serrée dans une robe verte, sort d'une des cabines en sautillant pour tenter de camoufler les replis de graisse sur son ventre. Sait-elle la chance qu'elle a d'être encore pure ? Mon petit frère Sébastien devait avoir son âge ce fameux matin d'hiver, au chalet du lac Peters que le cousin de notre père avait loué. Nous jouions à cache-cache dehors, emmitouflés dans nos habits de neige colorés. Celui de Sébastien était marine avec des lignes horizontales rouges et blanches. Ma mère avait cousu, bien visibles, ses initiales dans le dos.

S.L. S.L. S.L. S.L. S.L. Les lettres maudites, celles qui m'ont fait hurler lorsque je les ai aperçues, gonflées, flottant à la surface de l'eau. Les autres enfants, qui s'étaient cachés derrière des arbres ou dans la remise, n'avaient rien vu. Je comptais sur la véranda du chalet, les yeux fermés pour ne pas tricher, alors qu'ils auraient dû rester ouverts pour le surveiller. Il s'était aventuré sur le lac gelé pour tenter de se camoufler derrière le quai. C'était une excellente cachette. Lorsque mon père l'a sorti des flots, il était bleu.

L'année d'après, j'ai commencé à donner des rendez-vous aux garçons de mon école le midi. Puis, vingt ans plus tard, à fréquenter Fabrice.

En retournant m'asseoir en face de lui, maquillée et rafraîchie, je verrai ses prunelles briller encore une fois. Je vis désormais dans ce reflet ; belle, bonne, pardonnée. Je dors mieux ainsi.

MESCALINE

Danielle Fournier

Quand je me suis assise et que le barman m'a demandé gentiment, nonchalamment ou condescendant, sans doute le substantif est-il plus juste, comment j'allais *aujourd'hui*, j'ai eu envie de lui répondre que j'allais *comme va ma mère*. Je n'ai pas osé. Il m'aurait prise en grippe et, comme j'étais seule avec mes magazines et mes livres, il m'aurait oubliée. Ou aurait fait semblant de m'oublier, ce qui revient au même. Quel intérêt ai-je à ses yeux, sinon de pouvoir lui laisser un pourboire équivalent à mon âge ?

Je ne sais pourquoi je suis continuellement hantée par le temps. Et par ma mère. Le temps, je crois le savoir, je n'ai qu'à me regarder dans un miroir, mais ma mère ? Est-ce que c'est elle que je vois dans le miroir, l'image de cette petite chose frêle, sorte d'érable ou de sable argenté, habitée par de singulières idées ? Elle m'obsède, quoi que je fasse, où que je sois. Et avec qui que ce soit.

Elle croit que le gouvernement lui interdit de prendre de l'aspirine, que ma sœur travaille, alors qu'elle n'a jamais travaillé ; elle pense que j'enseigne, que je suis encore mariée, pourrait me demander si j'ai eu des enfants, et, finalement, elle oublie ce qu'elle vient de dire comme ce qu'elle a mangé le midi. Elle désire égorger la personne très gentille qui s'occupe d'elle. Ma mère. Celle dont j'ai essayé de me défaire. Celle dont je me sens le plus proche, physiquement, ma semblable, presque intacte en moi, malgré toutes les couches de temps qui s'accumulent entre nous. Ma mère, l'amoureuse folle de mon père, homme qu'elle vénérait, le regardant les yeux pleins d'eau après plus de quarante ans de mariage. Veuve, elle n'a jamais plus voulu d'un autre homme.

Lorsque j'étais enfant, tantôt elle me paraissait magnifique, tantôt elle me dégoûtait par son odeur de sueur : je me demandais comment elle faisait pour se supporter. Elle vivait dans la mélancolie des jours, et ces jours passaient et repassaient encore, l'abandonnant à elle-même. Je ne me souviens pas de l'avoir vue pleurer. Elle vient d'une autre époque, ma mère, d'une époque où les sentiments étaient scelés en soi. En réalité, je ne sais pas grand-chose d'elle, de sa vie intérieure, sauf son amour pour mon père. Qu'est-ce que je connais de son passé, sinon ce que tout le monde sait ? De son enfance sans électricité, de sa maison pleine à craquer d'enfants, d'oncles, de tantes, de grands-parents, de pauvreté. Avons-nous seulement parlé de la vie en général ? De ce sexe d'où nous venons et qui demeure paradoxalement montré et caché, de son corps de femme devenue mère, de son ventre qui demeure la mémoire du monde et de la création ? Serais-je seulement capable d'énumérer ce qu'elle aime et ce qu'elle n'aime pas, elle qui répète inlassablement : « Ici, c'est pas intéressant. Ici, il n'y a rien à faire » ?

Ma mère et sa mémoire chiffonnée, elle, jadis si belle dans ses robes de soirée, maintenant si mal vêtue, jamais coiffée, chancelante, les os fragiles, les cheveux fins et raides, si fins qu'on croirait toucher de la soie. De ma mère, celle d'où je viens, qui m'a faite telle que je suis, elle et son contraire, docile et échevelée, j'ai hérité les os. Et, quelque part, l'âme.

Je suis entrée dans ce restaurant parce que je n'en pouvais plus de marcher. De sentir les larmes survenir. La peur de glisser. De ne pas voir l'arête du trottoir. Parce qu'il y avait cette femme, au coin de la rue, seule et vieille, courbée, marchant à l'aide de sa canne. Peut-être indigente. Une femme comme ma mère, ou qui aurait pu être elle. Ce resto ou un autre, ç'aurait été pareil. Assise, dos à la porte, les yeux vers les fenêtres. Une lumière venue d'un océan intime. Rompue, j'ai souri, d'un air un peu las, totalement absorbée par l'attente de rien, ce que je suis moi-même. Déjà, j'anticipe la question que je redoute, à laquelle je n'avais pas réfléchi : qu'est-ce que je voudrais ? boire ou manger, ou les deux ? Dans quel ordre ? Je suis une Balance, ascendant Balance.

Choisir participe de mon drame personnel puisque je n'arrive jamais à me décider. J'essaie de le dissimuler. Réponds d'habitude que je souhaite la même chose que celui ou celle qui m'accompagne. Ce que cela me semble pénible et éreintant en cette fin de journée, surtout sous le regard apathique du serveur, puisqu'il n'y a personne avec moi !

Je suis sensible au vieillissement de mon corps. Au réveil, je fais… L'après-midi, je parais plus jeune, et en soirée, cela dépend. Quand on dit qu'on a l'âge du cœur, je me demande toujours de quel cœur il s'agit, ce que cela veut dire. Est-ce qu'on demande à une jeune et jolie fille si elle a l'âge de son cœur ?

Curieusement, je ne me sens jamais la même personne tout au long de la journée, de la semaine ou de l'année, et, je ne comprends pas pourquoi, mais je me sens encore plus différente à l'étranger. Peut-être à cause du regard autre et neuf que les hommes posent sur moi. Le regard des femmes aussi, impitoyable. D'ailleurs, qui pourrait dire qui il est, ce qu'il est sans mentir ?

Ai-je hésité entre thé et vin blanc ? Un quincy, un menetou salon ou du sancerre. Les thés, Lady Grey, Lapsang souchong ou Darjeeling First Flush ? À l'idée de boire, je m'imagine devoir me précipiter aux toilettes.

Entre deux âges, femme vintage ou bien conservée ? Sans complaisance, je m'examine dans le miroir derrière les bouteilles. Le corps et la mémoire de ma mère révèlent son âge, elle qui a toute sa vie esquivé les conflits entre son mari et ses enfants au point de dire maintenant que *c'est du très ancien temps*. Sa mémoire la lâche, les oublis s'installent subrepticement, son corps est saisi d'une grande fatigue. Elle ne sait plus qui elle est. L'a-t-elle jamais vraiment su ? S'est-elle questionnée comme je le fais sans cesse ? Parfois, elle ne sait plus où elle vit et confond ses maisons. Elle trouve que les gens *chez qui elle habite ont du goût pour les meubles*. Ce sont les siens ! Je ne suis pas certaine qu'elle nous reconnaisse sur les photos qu'on a mises au mur. Son retour à l'enfance m'oblige à jouer le rôle de grande sœur ou de mère, quand elle ne me prend pas pour mon frère mort quelques jours après sa naissance, ou encore pour une de ses sœurs, morte elle aussi. Je me trouve désemparée, inquiète mais aussi, étonnamment, en terrain connu devant ce qui nous sépare et nous rassemble : sa foi joyeuse et légère et l'amour des papillons blancs.

Parfois, elle me regarde comme si j'étais une inconnue venue la rassurer ou la protéger des voleurs. Elle passe son temps à sortir et à rentrer une chaise de patio tellement usée que je ne vois pas qui pourrait la lui voler. Je la retrouve, assise, immobile, à regarder le vide. Elle ne bouge pas, on dirait une cariatide abîmée. Je ferme les yeux pour ne plus me regarder dans le miroir, par crainte de me retrouver en elle, ou de la retrouver, elle, en moi.

Avec elle, je ne calcule pas, ne la berne pas ni ne la leurre. Tente de deviner ce qu'elle désire. Parfois, de véritables moments de bonheur : nous entrons toutes deux dans une sorte de dialogue entre le vivant et la mort en soi. Quelque chose de la terre et des mots anciens revenus à sa mémoire comme autant de souvenirs. Cette complicité nous rapproche : saurait-elle quelque chose qui l'empêche de me dire ce que je devrais savoir ? Taira-t-elle jusqu'à sa mort ce qui ne peut se dire ? Est-ce le pouvoir des mots qu'elle connaît de l'intérieur, elle autrefois soumise et silencieuse, qui maintenant bavarde et babille, se répète et me pose éternellement les mêmes questions ? Une énigme sans réponse, semblable à la poésie.

J'aimerais que mon corps et mon âme se reposent, indifférents au monde. Que faire si des larmes imprévues se remettent à couler ? Il y a très longtemps, j'ai affirmé à un militant du groupe politique des Brigades rouges, exilé au Québec, qu'une femme n'avait aucune raison de pleurer. Mais c'est faux : elle en a mille. Les mots construisent et détruisent. En voilà une, de raison. Sommes-nous des particules en mouvement, soumises au mouvement même ? Et les larmes sont-elles des oiseaux dans le ciel ?

Le serveur m'observe, inquisiteur : suis-je une bête préhistorique, un objet curieux ?

Balance ascendant Balance : chimérique de lui dire que j'attends quelqu'un, qui ne viendra pas, que je n'ai pas soif, ce qui n'est pas tout à fait vrai, inconcevable que je fasse une pause dans ma promenade – qui ferait une balade par ce temps pourri : insensé ! –, et mon bazar me trahit. Avouer que mes chaussures sont mouillées à cause de ce temps ?

Du thé, du vin, les deux, avec de l'eau ou un Schweppes à la quinine ? Habitée par le principe d'incertitude, ces années de thérapie m'auront servi à ça, me l'avouer. Que la réalité est multidimensionnelle.

Toujours indécise, je sors mon cahier avant de descendre les marches qui me mèneront à la délivrance.

Un verre ou une demi-bouteille ? J'aimerais être invisible. Lui répondre ? Sortir mon portable, le déposer devant moi ? Une amie prétend que, pour « avoir l'air naturel et abordable » dans un bar, il est préférable d'avoir un magazine. Un livre, c'est trop sérieux, et un cahier, trop intellectuel. Moi, j'ai les trois. C'est bien là le problème. Ma vie n'a rien de linéaire ; elle est faite de détours et de retours et de crochets et de circonvolutions, même quand j'essaie d'en faire le récit. On dirait un rêve, quelque chose qui y ressemble dans sa syntaxe débridée, avec des mots en couleurs et en plumes.

Ce n'est pas l'âge qui fait que j'ai une vessie sensible. Les spécialistes ne savent pas s'il s'agit d'un trouble neurologique ou d'un problème au niveau de la moelle épinière. Lorsque j'étais enfant, il y avait toujours un « petit pot » dans la voiture, avec le dessin d'un ourson. Un pot en plastique bleu blanchi. Un jour, ma mère en a jeté le contenu par la vitre, sur le pare-brise de l'auto qui nous suivait. Une voiture de police. Je ne me souviens plus de ce qui s'est passé par la suite…

Ado, j'ai arpenté les ruelles entre Saint-Henri, Westmount et Outremont. J'ai comparé différentes toilettes : bars, restos, cafés, épiceries, pharmacies, dépanneurs, stations-service… Je connais maintenant les endroits où il ne faut pas aller, ceux qui sont à peu près propres, au Québec et ailleurs. Dans les pays où l'eau est rare et où il fait très chaud, il vaut mieux se retenir, boire peu et lentement. Dans nos pays civilisés, j'ignore si ce sont les utilisatrices, ou le vieillissement des sanitaires, on se trouve souvent gênée, pour ne pas dire étonnée, de ce qu'on y voit et sent. Cependant, j'ai du mal à attendre. Je n'ai jamais pu.

Je n'arrive toujours pas à me décider. Pour la boisson. J'ai bu pas mal de thé ; je pourrais prendre autre chose. Les yeux rivés sur la carte, j'hésite. Je sais que j'hésite et que le barman est à la limite de sa patience.

Certains hommes vivent entre eux, grégaires, entourés de femmes plus jeunes, souvent douces, souvent dociles, qui ne leur demandent rien, sur lesquelles ils portent un regard volontiers dérisoire, voire négligent. Moi, aucun homme ne m'a quittée. Tous les hommes que j'ai connus m'habitent, même mon père, sorte de Jean Lévesque ou d'Eddie Albert de l'émission *Les arpents verts.* En réalité, ces hommes sont devenus des personnages de fiction qui ont un passé et dont j'imagine le présent. Aimerais-je les voir évoluer dans leur vie ? C'est celle qui, je suppose, me semble la plus réelle ; moi sans eux, eux en moi, tous en même temps. Et je ne les fréquente jamais.

(Tu t'appelles Léon le barman, désormais.)

Séducteur donc, mon père, amateur de femmes, avait le don de nous ramener à la maison une jeune fille enceinte qui jouait le rôle de nounou et de domestique. Le bébé venu au monde, elle disparaissait et une autre, peu de temps après, la remplaçait. Nous n'avons jamais vraiment su ni d'où elles venaient ni où elles allaient. Ni pourquoi elles venaient à la maison. Secret professionnel, avait-on appris, en pensant que l'humanité se mentait peut-être à elle-même…

Suis-je une femme ? Aux yeux de Léon le barman, je ne le crois pas. Me voit-il comme sa mère ? Sa grand-mère ? Ou une vieille tante ? Célibataire, mère d'enfants bohèmes comme elle ? Une vague petite-cousine ? Ou une sorte de vieille peau qui n'a jamais aimé ni joui (pauvre Léon le barman, s'il savait...) ?

L'ennui avec les jeunes comme lui, ce n'est pas leur jeunesse, c'est leur arrogance. Ils se considèrent comme incroyablement beaux et intelligents. I-R-R-É-S-I-S-T-I-B-L-E-S. Cela me semble plus fréquent chez les garçons. Ce n'est pas qu'ils ne le soient pas, irrésistibles, mais ils s'imaginent que le monde tourne autour d'eux et pour eux. (Pour votre information, cher Léon le barman, je ne suis pas abonnée aux magazines *Parents* ou *Le bel âge* et ne compte pas le faire.)

Ici, en plein centre-ville, je suis *rien* ou *personne*. J'aime autant être l'un que l'autre, sorte de personnage invisible. Cela me permet une plus grande flexibilité face au temps et à l'espace. Et aux rapports humains. Je vis dans un présent téléscopique qui s'écoule aussi rapidement que changent les lieux. Ma mémoire est sédimentée et frappée de crises. Est-ce que je me comprendrais mieux si je savais mon histoire ? Qui pourrait me la raconter et par où commencer ? Par quelle histoire originelle ? *Celle qui trouve le temps long.*

Donc, du vin ?

Il paraît que tous les hommes sont au moins un peu homosexuels. Qu'ils pourraient même être « hommosexuels ». Ils s'entendent pour deviser entre eux, se livrer à leurs combats de coqs, de blancs-becs ou de bras de fer, d'autant plus que la joute ne concerne qu'eux-mêmes et traite d'une seule et unique chose... une sorte d'ustensile passionné qu'ils auraient (nous, les femmes, *serions* cet outil)... Comment faire avec les garçons ? Comment être la mère du fils, la femme d'un homme et la fille d'un père ? Et dans quel ordre ?

Amuse-gueule, ou pas ? Mine de rien, je me plonge dans *Femme actuelle* avant de répondre à Léon le barman. Il y a un article instructif pour apprendre à dire « Stop ! » à ce qui nuit à notre santé. Ensuite, j'ai le numéro de *Géo* qui porte sur le bouddhisme. Il y a aussi *Psycho*, sur la méditation.

Les numéros ne sont pas récents, ni les recettes. Les crèmes amincissantes et anticellulite sont toujours les mêmes, même si elles ne sont pas efficaces. J'ai essayé Élancyl, Vichy. Il semblerait que celle de Lierac est très performante. Ce sera la prochaine, à moins que je ne change d'idée et que j'achète la Biotherm. Ce qui est bien avec les magazines, c'est qu'on ne se souvient jamais de les avoir déjà lus. J'en laisse toujours quelques exemplaires à la résidence où habite ma maman. Pour elle et pour moi.

Toujours pas commandé le vin. Léon doit me prendre pour une « matante hurluberlue ». Je le regarde droit dans les yeux. Les miens sont bleus, les siens sinistres. Il affiche un air solennel affecté. J'ai envie de lui dire que je ne suis pas sur Facebook, que je n'y trouve rien, sinon la tyrannie de l'événementiel, trouve indécents, pour ne pas dire complaisants et engluants, les gens qui affichent leur vie intime et privée, leurs oscillations dramatiques entre le dry martini, le manhattan, le prosecco, le vin blanc, la gym et Marilyn Monroe. Mais qu'est-ce que je vais bien pouvoir commander ?

Des gens arrivent. Je ne serai plus seule au bar. Dans la salle, il y a quelques femmes, des familles, des couples, bref du monde. Il faudrait que j'aille aux toilettes, me faire un petit raccord. Rien sur les yeux, tout sur les lèvres. Dois-je commander avant de descendre ? Boire un coup ? Le resto se remplit. Le bar aussi. Du bruit de vaisselle ; la musique montée d'un ton. Mais pour moi, il n'y a pas âme qui vive, ni homme, ni femme, ni ange, puisque je *rumine* ma mère, et elle seule. Je réfléchis continuellement à elle. Des souvenirs nostalgiques passent en boucle dans ma tête, et ces images me renvoient à sa mémoire sans mémoire. À mes enfants, qui n'en ont pas plus, qui parlent de plus en plus fort, qui font semblant de partir pour revenir. Et bien sûr reviennent pour mieux me quitter. Nous sommes une famille « hôtel refuge du passant », dont les membres crient, râlent, chialent, boivent, s'engueulent, s'embrassent, dansent sur les tables. Et qui, le lendemain, passent l'éponge sur les différends. Je pense aux hommes. Pas à tous en même temps, un à la fois, ou deux. Là-dessus, je lève la tête vers celui qui attend, impassible, que je lui réponde enfin. M'a-t-il posé une question ?

Cela ne me sert à rien de me remémorer inlassablement le passé ou d'imaginer l'avenir. Il n'y a que le présent qui compte. Cependant, comment vivre au présent ? Comment savoir dans quel présent nous sommes ? C'est là la véritable question.

Je suis une femme libre. Sans mari, sans amant, avec des enfants. Je fréquente peu les bars, les restaurants, les cafés, les terrasses, sauf pour me rendre aux toilettes, ce qui explique ma présence ici. Ma vie est tranquille, sans être monotone. Je ne pratique aucun sport, sachant pourtant que je devrais m'y mettre ; je ne tricote pas très bien et ne sais pas tenir une aiguille à coudre. Je bois beaucoup de vin blanc et de thé, parfois en même temps.

Je lui demande si je peux laisser mes affaires sur le comptoir. J'apporterai mon sac, qu'il ne craigne rien.

Descendre les escaliers sans me casser la gueule, c'est un début. Le nombre de fois où je me suis butée aux arbres, à des poteaux, tordu le pied ou la cheville sur un caillou, où je suis tombée dans les escaliers…

Lors de la représentation de *La nef des sorcières,* il y a longtemps, les femmes avaient pris d'assaut les toilettes pour hommes. À l'époque, il s'agissait d'un geste de résistance. Maintenant, quel effet cela aurait-il ? Je n'arrive pas à me souvenir de la couleur des murs et du nombre de cabinets, de pissotières, de miroirs. Avec qui avais-je vu cette pièce ? Et *Les fées ont soif*, avec qui ? Puis pousser la porte de ce lieu strictement privé : *Femmes*. J'espère qu'il n'y a pas de queue. Là-dessus, j'esquisse un sourire à deux filles qui me doublent dans les marches.

Je n'arriverai pas à attendre... Descendre les escaliers lentement, une marche après l'autre comme si ma vie en dépendait. Descendre éternellement les marches qui mènent au rêve. La dernière marche. Je n'entends plus mes pas, je glisse, légère, si légère, et là, miroir, ô miroir. Miroir qui s'ouvre... me laisse le passage...

* * *

Je n'ai jamais compris pourquoi mes parents m'ont nommée Mescaline. Faut dire que mon père est mathématicien et ma mère, chimiste. Quand ils se disputent, c'est à coup de formules chimiques et de phrases mathématiques.

Ma mère : H2O + Zc - Br + Vt = CH et les radicaux alkyles, les différentes phases de la mitose (prophase, métaphase, anaphase, télophase).

Mon père : $a + [(b + c) + (a + d)] \div (d \text{ x } c) + x = f$; et $a + b + c = d + e + f$ et $a^2 + b^2 + c^2 = d^2 + e^2 + f^2$ si a, b, c, d, e, f sont des entiers naturels différents et premiers.

C'est toujours sur la solution qu'ils se disputent.

C'est tout, ça s'arrête là. Heureusement, car je ne sais jamais comment intervenir. C'est pénible de tolérer ses parents.

À part le fait que j'ai un prénom à dormir debout et un nom de famille qui fait rire de moi, moi, j'aime vraiment la vie.

J'aime le chocolat, les bonbons, les rouleaux aux fruits, les cigarettes en bonbons, le Sunny Delight ; j'aime me coucher tard, écouter la télé et jouer avec Marie, mon amie invisible. J'adore les fêtes, les anniversaires et les cadeaux. Ma vie est trop chargée. J'aime ma maîtresse d'école et mes copains, la cour, les activités parascolaires et le gymnase. Ce que je préfère à l'école, ce sont les congés.

J'ai deux chats. J'avais un chien. Ma mère n'avait pas le temps de s'en occuper. Moi non plus ! J'ai eu beaucoup de peine quand il est parti, il était encore petit et, bien sûr, il faisait caca partout, il a pissé sur les copies de ma mère (elle est prof de chimie dans un collège élégant ; je le vois à la manière dont elle s'habille. Et elle déteste ça – elle aurait voulu être artiste, une sorte de peintre qui plane). Le chien a mangé quatre chaussettes, trois pantoufles et un bout du tapis du salon. N'allez pas croire qu'il était méchant, oh non ! Il était mignon comme tout, ce petit bâtard noir et blanc. Je le mettais dans mon sac à dos quand on prenait le métro avec ma mère.

Tout le monde l'aimait, mon petit chien. Mes copines voulaient le promener et mes copains le faisaient courir. Il avait beaucoup de plaisir quand on jouait au hockey dans la rue. Il courait après la balle, sans jamais nous la rapporter : il fallait la lui arracher. Comme ça, il en a mangé sept en quatre semaines. Il avait une laisse et un beau petit collier rouge et un habit de pompier pour le protéger du soleil qu'il ne supportait pas. On a tout donné au couple qui l'a acheté : ces gens ne pouvaient pas avoir d'enfants – ils nous ont expliqué ça en détail et je m'en foutais royalement – et cherchaient un petit dont s'occuper.

Maintenant, nous avons un lapin. J'aurais préféré un raton-laveur, mais mon père craint les animaux sauvages ;

il a peur pour sa guitare électrique : les animaux rongent ces choses-là parfois. Nous, les enfants, nous faisons de nombreux compromis et, au bout du compte, nous sommes très tolérants envers nos parents. Je ne sais pas si tous les adultes sont des parents. Il semble que lorsqu'on est adulte on ne fait pas ce qu'on aime.

Heureusement, j'ai un frère sympa qui m'aide toujours à traverser les miroirs.

Notre lapin vit dans une garderie pour lapins. Il s'appelle Pouipoui. C'est moi qui ai choisi son nom. Tout le monde était d'accord, ce qui est assez rare chez nous : mes parents s'engueulent toujours dans leur langue étrange. D'ailleurs, mon frère et moi, on parle une novlangue, connue juste de nous deux. C'est compliqué de faire une phrase et ça demande beaucoup de patience. On a compris que la communication, chez nous, ce n'est pas notre force. On parle tous en phrases, mais elles sont complètement différentes ; les unes contiennent des lettres et des formules, les autres des chiffres. Tout le monde fait des codes secrets.

J'ai onze ans, les yeux bleus et les cheveux blonds. Assez jolie merci. Je parais légèrement plus vieille que mon âge et ça me plaît. Je ne comprends pas ma mère qui tient à avoir l'air plus jeune. C'est fou le nombre de crèmes, de masques qu'elle se met, d'exercices qu'elle fait pour que sa peau reste ferme. Une vraie fortune qu'elle engloutit dans les magazines et les pots, alors que moi, quand j'ai envie d'un nouveau pantalon, de chaussettes, d'un soutien-gorge (je commence à avoir de la poitrine, même si c'est juste moi qui le sais), d'un pull ou de maquillage (là, elle n'est jamais d'accord), je dois demander, quémander, supplier. Avec maman, il faut négocier serré. Mon père, quand il ne joue pas de la guitare, il est pris par ses calculs et ses équations, ses figures géométriques ; il me répond toujours « oui oui ». On sait ce que ça veut dire.

De ce côté-ci du miroir, je vois des femmes que je ne reconnais pas. Est-ce que c'est normal ? Sont-elles connues ? Elles se parlent à elles-mêmes, se sourient, se font des grimaces, font tomber ou oublient un objet, une bague ou une carte bizarre. Je vois Julienne, Lucette ou Audrey, je leur fais signe de là où je suis, mais elles ne me voient pas : je suis invisible. Rien dans les mains, rien dans les poches.

Tiens ! Une qui se remet du jour à lèvres. Pourtant, elle a des larmes dans les yeux. Je n'y comprendrai jamais rien, moi, aux adultes. Ce qu'ils m'ennuient !

Voilà, ces femmes disparaissent, c'est fini. Ou c'est moi qui ?...

* * *

En remontant des toilettes, j'ai eu l'impression de croiser une ombre ; c'est comme si le passé revenait encore une fois, me suis-je dit, dans ce corps hybride, ni homme ni femme. Comme c'est étrange.

Assise de nouveau à ma place, je récupère mon bazar. Je crois avoir fait mon choix : ce sera du Sancerre. Je pourrai m'imaginer ailleurs, avec cet ami poète que j'aime tant (dont je suis amoureuse), au bord de la mer, en fin de journée, à déguster olives et tomates séchées. Nous serions brûlés par le soleil, heureux de se tenir la main. Oui, m'imaginer ailleurs, dans un autre épisode de ma vie, avec des feuilles aux arbres dans le soleil de juin, des oiseaux, à me dire que quelqu'un me manque ou que je manque à quelqu'un (tiens, Léon le barman, qu'en dis-tu ?). Sans le secours des rêves, pourrions-nous vraiment vivre ?

Si je n'étais pas moi, qui serais-je ? Un arbre ? Une bergeronnette ? La pluie ? Un paysage ? Un animal dans un troupeau mené par des bergers dans des champs lors de la transhumance ? Ce moment d'animation et de fête dans les vallées ? *Pastourelle* de William Bouguereau ? (Sais-tu qui est *Pastourelle*, toi, Léon le barman ?)

Le brouillard semble être tombé. C'est le crachin de décembre. La petite nuit. Celle qui s'ouvre à la grande nuit. Demain n'arrivera que demain. Pourquoi est-ce que je me demande comment je vais atteindre la mer, tranquille et reposée, les yeux ouverts sur des fantômes ?

Ne me demandez pas comment je vais : *je vais comme ma mère*, c'est tout. Devant le miroir, c'est vraiment quelqu'un d'autre qui *apparaît*, *disparaît* et *revient*, d'aussi loin que l'Alaska, sous les étoiles juste avant l'aube. C'est peut-être ça, le bonheur, une parenthèse sans avant ni après, ce moment où l'on arrive à se fuir soi-même de soi-même.

Je n'occupe pas grand place dans ma vie, n'arrive pas à choisir, hésite entre chaussettes, collants et leggings, vestes, tricots ; cherche mes clés, mes lunettes, une écharpe et, bien entendu, me trompe souvent de direction pour me retrouver dans un lieu qui n'existe plus. J'entre dans ma vie et en sors dans un même mouvement. Parfois, j'échappe à cette réalité imposée en la traduisant pour deviner ce qui est le mouvement même de ma vie.

Comment faire naître la beauté ? J'y repenserai une autre fois, s'il ne fait pas trop froid, s'il ne neige pas. Je serai là, au même endroit, en face du même garçon (oui, toi, Léon) qui me manquera quand j'aurai quitté ce resto, qui me manquait avant que je ne le connaisse.

Quand il m'a demandé si tout allait bien pour moi, je n'avais qu'une seule envie, lui répondre : « Et vous, si vous aviez une fille, vous demanderais-je comment elle va, moi qui ai ma mère sur le dos, moi, sa prisonnière et sa geôlière ? » Sait-il seulement que les choses peuvent s'arrêter sans avertir ? Qu'on peut être à la fois la despote et la dominée ? Ce n'est pas parce qu'il y a des trous dans ma tête qu'il n'y en a pas dans la sienne, évidemment.

Suis-je seule dans mon corps ? Le reflet que je vois dans le miroir derrière les bouteilles, est-ce le mien ? Est-ce moi ? Moi ou une autre en moi qui est pourtant moi et qui me ressemble comme une fille ressemble à sa mère ? Moi, ma mère, ma mère, moi, qui ? Les deux en même temps à porter dans un seul cœur une sorte de mémoire ancestrale qui fond ?

À partir de quand est-il trop tard ?

Cela arrive, vient. C'est tout. Les mots s'effondrent au présent. Des jeunes femmes avec leurs jeunes enfants pensent-elles à l'avenir ? Imaginent-elles ce qui les attend ? Miroir, ô miroirs, quelle belle aventure que de traverser les montagnes et de trouver le répit. Miroir, ô miroirs biseautés et ouvragés, couleur océan et fleuve.

* * *

On est bien peu de chose devant la mer ; on n'est qu'une petite chose, vivante et mortelle. Je m'appelle Mescaline. Ma mère m'a dit que la science est proche de la poésie. Je ne sais pas. Les poètes sont drôles et sérieux à la fois. Et puis, ils ont des mots, pas juste des formules, comme à la maison. Mon frère et moi, nous sommes tous les deux poètes. Ce qui est bien avec notre novlangue, c'est qu'on peut chanter nos poèmes en duo et personne ne comprend. Ma mère est fière de nous, et quand mon père nous accompagne à la guitare, alors là, c'est un véritable spectacle. Parfois, on a droit à un doigt de vin mousseux. Et après on rit. Mais c'est rare, on est surtout tous les deux. On nous prend pour des jumeaux, mais, en fait, on est très différents.

Mon idole à moi, c'est Martine. Je sais que je suis trop vieille pour ça, mais je continue de lire ses soixante livres, à voix haute, la nuit, en cachette. J'aime les cachettes. J'ai quelques boîtes en métal dans lesquelles je mets des trésors très personnels, comme mon ombre. Comme elle, je suis pleine d'idées, des idées qui vont vite, trop vite parfois. Mes peluches se mettent à parler, se mettent à marcher ou à rire sans se poser de questions. Elles me parlent pendant que mes parents lisent. C'est vrai que, quand je lis *Martine*, je ne bavarde pas, je lis à voix haute ; mon auditoire de peluches est attentif et silencieux.

Je m'appelle Mescaline et je n'ai pas de mémoire. On pourrait croire que je suis enfermée. Je rêve, et ces rêves sont des extases pures, des révélations fulgurantes, des épiphanies, des métamorphoses. Endormie ou debout, c'est la même chose. Ce pays m'expédie des vers des *icis* flamboyants. Mon cœur est un oiseau.

* * *

J'ouvre grand les yeux, avec crainte, me regarde dans le miroir derrière Léon le barman. Mon corps disparu du monde des apparences. Je respire lentement pour ne gêner personne.

Je me demande, les yeux baissés, qui est ce *je* qui m'accompagne, sorte de *je* clandestin dont j'ignore tout. Je pense *je*, en réalité, c'est *totalement je*. Je suis hilare et mélancolique. J'ai peur de perdre la mémoire. Pourtant, plusieurs événements, surtout ceux du passé, mériteraient d'être oubliés ; ce serait ce qui m'arriverait de mieux. Je me regarde vivre comme si j'étais quelqu'un d'autre. Je m'effraie moi-même.

Et ici, dans ce lieu qui pourrait être *n'importe lequel*, je fais semblant d'exister aux yeux des autres.

Non, je ne fais aucune distinction entre les rêves de la nuit et les rêveries du jour. En cela, je suis semblable au monde d'avant la connaissance, d'avant la naissance, dans le ventre de ma mère, quand j'arrive à résister aux *questions sucrées du persifleur invisible.*

Je suis au bord de l'étrangeté des choses ; je suis mère et fille. L'une comme l'autre m'arrache et me construit, identique et différente, plus ou moins consciente des divers lieux de cette réalité qui m'échappe. Pourtant, ma mère et moi, on parle la même langue, cette langue blanche qui illumine l'intérieur. Il y a peut-être une souffrance, venue de cette mémoire lointaine qui nous habite, une souffrance qui nous lie, qui cependant ne nous appartient pas puisqu'elle nous rapproche des autres. Je suis une femme sans plumes et sans majuscules. J'aimerais *être*, ne plus penser, ne plus savoir, ne pas avoir à choisir ni à prendre, quelque chose comme *ne pas être* ces idées dans ma tête. Si au moins je pouvais m'exprimer.

L'écart entre le rêve et la rêverie est mince. Il ne s'agit ni d'un mensonge ni d'un travestissement : c'est l'envers et l'endroit, les mots qu'on prononce, qui s'inscrivent, inconnus ou mystérieux, ces mots cachés que fait ma mère, le matin et l'après-midi pour tuer sa solitude. Pendant que moi, moi…

Je laisse mon angoisse s'infuser, ou se soûler, c'est pareil, je ne choisis pas, c'est pareil, je fais semblant d'oublier ou de me rappeler, c'est pareil, d'être imperméable et détachée, c'est pareil. Je rase les murs et m'ignore religieusement. Je suis double en permanence, diluée dans une image qui n'est pas moi et qui l'est. C'est pareil. Qu'est-ce qui se passe sinon les mots de ma solitude à moi, qui ressemble à celle de ma mère, dans sa résidence pour « personnes en perte d'autonomie », autrement dit en perte d'utilité, qui toute la journée demandent : *Pourquoi ne vient-on pas nous chercher ?*

Ne devrais-je pas faire semblant de dormir ?

Je m'appelle Mescaline et je traverse les miroirs. Je m'appelle Mescaline et, derrière les miroirs, je vous observe avec affection. Je m'appelle Mescaline Mentons et j'existe derrière les miroirs.

Au bar avec Léon le barman je sais une chose. Je suis irrémédiablement seule. Et sans doute pour toujours. Curieusement, cela me calme, me fait du bien. J'ai un avenir rassurant. Dans le miroir, je vois le reflet d'une femme décontractée derrière les bouteilles. Je ne sais pas qui c'est. Et cela m'importe peu.

Je vais commander un whisky, un laphroaig, dix-huit ans d'âge, avec des arachides. Et je l'offre à ma mère.

HIT

Karine Glorieux

1. ALEXANDRA

Quand je suis assise aux toilettes, mon ventre dépasse. Je le rentre, le sors, le rentre, le sors. Le rentre le sors. Vide ma vessie. Mais même quand j'ai fait pipi, il dépasse encore. C'est à cause des tripes. Montre-moi ce que t'as dans les tripes, je sais pas trop ce que ça veut dire.

C'est laid pis ça pue, ce qu'on a dans les tripes.

Montre-moi ce que t'as dans les tripes.

Ma mère me laisse jamais aller toute seule dans les toilettes publiques, comme si elle avait peur que quelqu'un me kidnappe, un voleur d'enfants, un tueur d'enfance, du sang partout. Sérieusement, je vois pas comment ça pourrait arriver. Pas dans un restaurant, en tout cas. Dans une gare, peut-être, ça s'est déjà vu. Ou en face de l'école, logique. Tu veux manger un Happy Meal, tu vas chez McDo, tu veux voler un enfant, tu vas à l'école. Ou chez Walmart. Entre deux rangées de chandails en spécial, oui, ça serait possible. Avec un appât, un sac de réglisses piqué sur une des étagères. Hé, toi, le petit poisson, suis-moi, je vais te donner des bonbons. C'est ça qu'ils disent. Moi, mes préférés, les bonbons je veux dire, c'est les vers en gelée. Les surettes, qui remplissent la bouche de salive.

Mais ma mère m'amène jamais chez Walmart. En plus, elle veut pas que je mange de bonbons, ça fait dépasser mon ventre. Sans compter les caries pis le diabète.

Fait que.

Pas de bonbons.

Et elle vient avec moi dans les toilettes publiques. Au cas où.

Les mères sont là pour nous protéger de l'au cas où. Ou pour inventer des dangers, si jamais on a pas eu la chance de naître dans un vrai pays en guerre.

Un monstre caché dans le bol, ça se pourrait. Un monstre qui m'amènerait dans son monde sous-marin rempli de monstres qui trippent sur les petites filles qui font pipi.

Une fois, j'ai jeté mon poisson vidangeur dans la toilette. Je le voulais plus, trop laid. Il est resté là pendant mille ans, accroché au bol. J'ai tiré la chasse d'eau au moins vingt fois, mais il restait là. Avec sa grosse ventouse de bouche. Finalement, c'est Éva qui lui a réglé son compte. Ma sœur est bonne, pour les règlements de compte. Elle l'a vu, a crié ouache, l'a sorti de l'eau avec la brosse à toilette, celle qu'il faut pas toucher avec les doigts. Je pensais qu'elle allait le remettre dans l'aquarium, mais non. On l'a regardé, toutes les deux, s'agiter d'un bord pis de l'autre, ouvrir la bouche, la refermer. Quand il a arrêté de bouger, Éva l'a remis dans les toilettes. Elle a flushé. Disparu, le vidangeur.

Après, on a rien raconté à maman, elle aime pas la cruauté envers les animaux. Et on doit tous avoir son jardin secret, c'est ça qu'elle dit.

Dans mon jardin secret, il y a un poisson mort.

J'y pense souvent quand je fais pipi, au cas où il m'aurait retrouvée pis voudrait s'accrocher à mes fesses, avec sa grosse bouche laide.

Mais maman est là.

Au cas où.

Sauf que ma sœur dit que le danger vient quand les mères sont pas là. C'est pour ça qu'il faut rester sur ses gardes. Ouvrir l'œil. Regarder dans le bol avant de s'asseoir. Cacher un canif dans son sac d'école. Éva dit que les violeurs, c'est presque toujours des personnes qu'on connaît. Mais t'inquiète pas, Alex, les violeurs s'intéressent pas à des filles de huit ans pas de seins. Ma sœur, elle a assez de seins pour attirer au moins une armée de violeurs. Dommage que ma mère ait plus le temps de la surveiller. Depuis que papa est parti, elle passe ses journées à répéter, un vrai perroquet, qu'elle peut pas être partout à la fois. Même si elle fait son gros gros possible pour qu'on soit heureuses, qu'on ait confiance en la vie, qu'on ait peur de rien.

Pour qu'on ait peur de rien, ma mère a peur de tout. Elle a peur *pour nous*, il paraît que c'est pas pareil. Éva la traite de maman-parano. Ça la met en colère, chaque fois. Maman-parano. Tais-toi. Maman-parano. Va dans ta chambre. Maman-par... Dégage. Fait que quand j'ai voulu aller aux toilettes, pour pas donner raison à ma sœur, parce qu'on a tous une fierté pis une place à tenir dans la vie, ma mère a dit Oh, tiens, moi aussi j'ai super envie, justement.

Justement.

J'ai peut-être huit ans, j'ai peut-être pas de seins, mais je suis pas stupide. Pis ma mère ment mal.

C'est comme la fois où elle a voulu m'expliquer pourquoi papa était parti. Elle respirait fort, comme si quelque chose faisait du sport au fond d'elle. Elle finissait pas ses phrases, ou les commençait avec les mauvais mots. J'aurais voulu qu'on. Entre ton père et moi, ce n'est plus. Tu comprends. De la faute de. Ça arrive même quand. Et depuis l'accident. Tu comprends. Hein, Alexou. Tu es une grande fille.

D'habitude, quand t'as huit ans pis que quelqu'un te dit que t'es une grande fille, ça veut dire qu'il pense le contraire.

De toute façon, je comprenais rien.

Ou, oui, je comprenais une chose. Ma mère essayait de me faire croire que c'était pas de sa faute si elle avait mis papa dehors.

Pas de sa faute.

Elle ment mal, pis j'étais là, au cas où elle l'aurait oublié. Un soir, elle a crié Dégage. Pas à ma sœur, qui était encore gentille, mais à mon père.

Dégage.

Papa s'est levé, son assiette de spaghetti bolognaise à moitié pleine.

Éva a ouvert la bouche comme un poisson qui s'étouffe, ouvert la bouche pour rien dire. Moi, j'ai serré les dents. Fermé les yeux, bouché mes oreilles. Si j'avais eu une troisième main, j'aurais bouché mon nez tant qu'à y être. Pis je serais morte.

Quand j'ai rouvert les yeux, papa était plus là.

Pouf.

Magie.

L'assiette à moitié pleine de spaghetti bolognaise sur la table. Ma mère aime pas le désordre.

J'ai gardé le reste du souper de papa dans un Tupperware. Maintenant, on voit plus le spaghetti. Juste une mousse brune. Un peu gluante.

Mon père est un handicapé culinaire, c'est ça qu'il dit. Il sait même pas comment faire de la sauce. Il achète de la toute faite, qu'il nous sert en s'excusant avec des pâtes trop cuites, pis maman refuse de lui en cuisiner. Elle prend sa voix fâchée Alexou arrête de faire des crises, ton père est assez grand pour se débrouiller tout seul. Maman dit que papa a pas de cœur, mais c'est elle qui a donné le sien à un autre.

Si je tends l'oreille, j'entends les petites gouttes qui coulent de ma mère, dans la cabine à côté de moi. Pas beaucoup de gouttes, elle faisait semblant d'avoir envie, je le savais. J'imagine que ces petites gouttes-là, pis l'effort qu'elle met pour les faire sortir, c'est une espèce de preuve d'amour pour moi. À défaut d'avoir un cœur, ma mère a une vessie. C'est déjà ça de pris.

Mais j'aime pas l'entendre faire pipi. À cause des parties intimes, un peu comme quand je l'ai vue avec l'autre. Je sais ce qu'ils faisaient, Éva me l'a dit. C'est comme un viol, mais pour ceux qui s'aiment. Sauf que je me sentais mal pareil. Je suis retournée dans ma chambre pis j'ai ouvert mon Tupperware. Depuis que papa habite plus chez nous, j'ai ajouté des choses dedans, pour voir. Des bouts de banane, le fruit préféré des Américains. Des cheveux. Des ongles. Une canine – celle de gauche. La gale d'un bobo que je me suis fait sur le genou quand le grand Victor m'a poussée dans la cour de récré. Hier, j'ai ajouté une rose du bouquet de maman. Une belle rose rouge, un gros bouquet. Il a dû payer ça cher.

Mais ça aussi, ça va finir par pourrir.

Le Tupperware pue, je le ferme, le remets dans mon sac d'école à côté du canif pis de mon toutou préféré, un petit lapin blanc qui est plus blanc depuis longtemps. Puis, je prends le rouge à lèvres que j'ai trouvé tantôt, sur le bord du lavabo. Touche pas à ça c'est sale. J'ai fait semblant de le jeter pour pas que ma mère s'énerve, mais je l'ai mis dans mes culottes. As-tu bientôt fini Alexou ? Je réponds pas à ma mère. Je suis capable de tenir presque toute une journée sans aller aux toilettes – mon record, c'est sept heures trente-sept. Mais quand j'y vais, je reste longtemps. J'en profite. À l'école, une fois, un sixième est rentré dans les toilettes des filles, pis il a passé sa tête en dessous de la porte. Depuis ce temps-là, j'attends d'être à la maison.

Sauf que là.

C'est à cause de la serveuse, elle a failli me noyer. Elle arrêtait pas de remplir nos verres d'eau glacée, comme si elle croyait qu'on se préparait à partir en expédition au Sahara.

J'aime ça, croquer des glaçons.

Tous les poils de mon corps raidissent pis ma peau devient comme celle d'un poulet cru.

Fait que j'ai tout bu, tout croqué. Trois verres en tout. Plus un jus d'orange rempli jusqu'en haut – pas un petit demi-verre comme à la maison, parce que c'est mieux de manger le fruit au complet Alexou il y a plus de fibres.

Papa, lui, il s'intéresse pas aux fibres. En plus, il me laisse aller toute seule dans les toilettes publiques, si c'est vraiment nécessaire. Pas le choix, s'il venait avec moi, il se ferait arrêter par la police, comme après son accident, quand c'était pas lui finalement.

Papa m'amène manger des frites, il aime ça me faire plaisir, même s'il y a pas de fibres là-dedans.

Une fin de semaine sur deux.

Le reste du temps, notre vie, c'est la maison, l'autobus scolaire, l'école, l'autobus scolaire, la maison. Des bonnes céréales au déjeuner, des bons légumes au souper. Jamais de télé avant le dodo. C'est tellement difficile de pas mourir d'ennui.

Pour aller chez papa, on prend le métro. Maman conduit pas, puis papa, il a plus d'auto. De toute façon, déneiger, trouver du parking, c'est l'enfer. C'est ça qu'il dit même si l'enfer, il paraît que c'est pas mal pire que déneiger sa Toyota l'hiver. Fait qu'on prend le métro. Une fin de semaine sur deux. Rosemont, Atwater le samedi. Atwater, Rosemont le dimanche. Le métro, c'est long, ça pue, c'est trop chaud, mais ma mère veut pas que j'argumente avec elle là-dessus. C'est comme ça. Tu feras ce que tu voudras quand tu seras grande.

Quand je serai grande, je prendrai pas le métro. Je serai riche dans une limousine avec des vitres foncées. Même si ma mère a coupé les cours de ballet parce qu'on est trop serrées dans le budget. J'ai pleuré, c'est sûr. Mais de toute façon, ce que je veux, c'est pas danser, c'est chanter. Chanter pis mourir sur scène, comme la chanteuse avec des gros cheveux qui se maquillait trop.

L'autre jour, j'ai essayé pour voir. Du noir partout autour des yeux. Les cheveux pleins de produits à cheveux. Pas aussi simple que ça peut avoir l'air, mais j'étais contente pareil – pour un premier essai, je veux dire. Je me suis couchée par terre dans le salon pis j'ai arrêté de bouger. Quand Éva m'a vue, elle a trouvé ça drôle, elle arrêtait pas de rire. Sauf qu'elle avait sa face des jours où elle trouve tout drôle, fait que ça veut rien dire. Ma mère, elle... Ma mère veut plus que je me maquille. Mon Dieu, Alexandra, lève-toi pis enlève ça tout de suite.

Vingt-sept ans, je trouve que c'est un bon âge pour mourir.

Tout le monde est triste, tout le monde dit Oh, elle avait toute la vie devant elle, mais personne t'oublie, parce que finalement ta vie, c'était juste ça. Mais Éva m'a dit que la chanteuse aux gros cheveux est même pas morte sur scène. Elle est morte toute seule dans sa chambre en regardant des vidéos d'elle-même sur YouTube.

Dommage.

Moi, je préfère mourir sur scène.

Ma mère a fini son pipi. Je l'entends parler à voix basse. Elle dit Qu'est-ce que tu fais ici tu pouvais pas attendre deux minutes qu'on revienne. Ma sœur dans les toilettes, ça veut dire que l'autre est resté seul dans le restaurant. Seul comme un rat mort. Ou comme papa. Papa ressemble pas à un rat. Mais il est seul, pis il peut même pas regarder des vidéos de lui-même, papa a rien fait qui mérite de se retrouver sur YouTube. Montre-moi ce que t'as dans les tripes. Mon père a rien dans les tripes. Ma mère a pas de cœur pis mon père a rien dans les tripes. Ma sœur a trop de seins. Moi, j'ai un ventre qui dépasse.

Une famille de mutants.

Peut-être que l'autre, tout seul, se dit que sa place est pas là, parmi les mutants.

Peut-être qu'il a pris ses affaires pis qu'il est parti. Ou qu'il a été aspiré par un trou dans le sol. Écrasé par une météorite. Un accident est si vite arrivé.

Peut-être qu'il a été remplacé par papa.

Je peux rester ici longtemps, si je veux. Je suis bien. Quatre murs autour de moi. La vessie de ma sœur qui se vide, juste à côté, un petit bruit de fontaine – elle aussi, elle a bu beaucoup d'eau, mais surtout du vin, elle a dix-huit ans il faut bien que ça serve à quelque chose.

Ma mère doit nous attendre en se regardant les poches en dessous des yeux. Ou en se mettant du rouge à lèvres. Avant, elle se maquillait pas. Mon rouge à lèvres à moi est foncé comme des tripes. De la même couleur que les lèvres de la femme assise à côté de notre table, la grande madame qui sentait le parfum. J'ai donné un coup de coude à Éva, pour qu'elle remarque qu'on était assis juste à côté d'une vedette, mais elle a dit Arrête Alex, c'est pas poli. Le tube sent un peu la pâte à modeler, ou les bougies de fête. Ma mère veut pas que je me maquille. Fait que, pour pas que ça paraisse, je fais une grande spirale autour de mon nombril, sur mon ventre qui dépasse.

Ça chatouille.

Le rouge à lèvres, ça pourrit pas. Sauf que je me demande ce que ça donne, sur les lèvres d'une morte. Je veux dire, quand les lèvres pourrissent, mais pas le rouge à lèvres.

2. ÉVA

Le gars m'a dit: « Porte quelque chose de sexy mais de confortable. » Sexy et confortable. C'est pas une antithèse, ça ? Mon gros pyjama avec des ours polaires est confortable. Mais sexy ? Non. Vraiment pas.

Sexy.

Je suis passée deux fois à travers ma garde-robe. Puis à travers celle de maman. Mais j'allais quand même pas piquer les sous-vêtements de ma mère, ça aurait été trop bizarre. De toute manière, apparemment, elle a acheté sa dernière paire de petites culottes, *beiges*, dans les années 1990 – rien à faire avec ça.

En fin de compte, j'ai demandé à Cat, et elle m'a passé ce qu'elle avait de mieux. Une vraie pro, Cat, même si ça fait juste un an qu'elle a commencé. J'ai pris le petit bout de tissu qu'elle me tendait, j'ai touché à la dentelle en acrylique. Ça m'a fait grincer les dents, mais c'était certainement pas le temps de lui dire que je préférais le coton biologique. Un beau kit de yoga Lolë, avec ça ? Peut-être la prochaine fois.

— Envouèye ! Essaye-le !

Je l'ai essayé, Cat a lâché des grands cris d'admiration, comme si c'était ma plus grande fan depuis toujours. Je me suis regardée dans le miroir. Avec cette chose rose sur le corps, qui donnait tout son sens au mot *déshabillé*. Le gars serait content. C'était sexy. À mort. Légèrement trop petit. *Vraiment pas* confortable, mais ça, ça dérangerait personne d'autre que moi. Le string me rentrait dans la craque, aucune idée de la façon dont j'allais réussir à bouger avec ça. Je l'ai enlevé, j'ai dit : « C'est parfait » et Cat a eu l'air contente. Elle m'ouvrait les portes d'une nouvelle carrière, elle était fière.

J'aurais dû attendre d'être là-bas avant de le remettre. C'est évident. Mais maman fouille toujours partout, j'avais peur qu'elle le trouve, au fond de mon sac. Peur qu'elle me demande : « Qu'est-ce que tu fais avec ça ? » Vraiment pas envie de lui expliquer.

Et mes règles qui ont commencé. Comme si j'étais pas déjà assez stressée. J'ai envoyé un texto à Cat, elle m'a répondu tout de suite : *Pas grave, ça arrive tt le temps. Rentre le fil, personne va s'en rendre compte*. Ça m'énerve quand même. De quoi j'aurais l'air si ça ressortait, un petit bout de ficelle qui dépasse ? Ou pire, si je réussissais pas à reprendre le tampon, après ? J'ai entendu parler d'une fille à qui c'est arrivé. Après un mois, c'était tout infecté, il a fallu qu'elle aille à l'hôpital pour se le faire enlever.

Ce soir, maman a insisté : « Il faut que tu viennes, Éva. Je te demande pas grand-chose, mais là, j'y tiens. Il faut que tu viennes. » Je suis venue. J'avais pas l'énergie de me battre avec elle, pas aujourd'hui. Je l'ai regardée se maquiller, je lui ai emprunté du vernis à ongles. Elle pensait que je faisais des efforts pour lui, belle méprise.

Lui.

Le premier homme depuis papa.

Grosse affaire.

Maman tenait absolument à nous le présenter officiellement. « Vous allez l'aimer tout de suite, je suis sûre. » Maman tout énervée. Une quadragénaire aussi excitée qu'un hamster relâché dans la nature après des années de captivité. Je donnais pas cher de sa peau. « Vous allez l'aimer ! Attendez de le voir ! » Elle a passé deux heures dans la salle de bain à se pomponner, à essayer d'effacer la trace que les larmes ont laissée depuis trois mois autour de ses yeux. J'avais le goût de lui dire que si elle avait fait autant d'efforts avant, ils en seraient peut-être pas là aujourd'hui. Mais j'allais pas me mettre à défendre papa, je m'abaisserai certainement pas à ça. Qu'ils règlent leurs affaires tout seuls. Sauf que... À quoi ça servait, ce maquillage, cette mise en scène de téléroman ? Un joli petit resto au centre-ville, un bouquet de roses, des vêtements chics. Elle avait investi pour la soirée, elle portait peut-être le même genre de déshabillé que moi sous sa nouvelle robe, le même string entre les fesses. « Je vais vous présenter Yan-vous-allez-l'aimer-c'est-sûr ! »

J'aurais pu lui dire.

Lui dire : « Je l'ai déjà vu, ton Yan chose. Je vous ai déjà vus, sur le comptoir de la cuisine, je rentrais à la maison, assez partie, mais pas assez pour pas vous voir. »

La semaine passée.

J'étais tellement mal, du mauvais stock, j'avais envie d'être chez moi, dans mes affaires, d'avoir deux ans, de me blottir contre ma mère. Mais non.

Salope.

Vraiment pas besoin de ça.

Le lendemain, il était plus là, et j'aurais pu croire à une hallucination si... « Vous allez l'aimer c'est sûr ! » Tantôt, quand je les ai regardés se bécoter, j'ai failli vomir. Un peu de discrétion, peut-être ? *Come on*. Personne fait ça, même dans un bar au *last call*. Une mère, la langue partout, le rouge à lèvres qui s'étend ? Non. Ça m'écœure. Pas pour mon père, je m'en fous, de mon père. Mais maman. Jouer aux adolescentes ? Maintenant ? *Really* ? Il y a un âge pour tout, me semble. Petit hamster. Et c'est pas une couche de fond de teint qui va effacer les années. En plus, je la connais, je la vois venir des kilomètres à l'avance. « Allez les filles, on mange au resto, on a du fun, on s'amuse, maintenant vous connaissez Yan, mon nouveau chum (rires d'ado débile), et oh, tiens donc, le voilà qui sonne à la porte avec ses valises ben oui il va vivre ici un petit moment, d'accord les filles ? »

Comme si notre opinion comptait.

Et elle m'a laissée toute seule avec lui, supposément pour accompagner Alexandra aux toilettes. N'importe quel prétexte. Je sais bien qu'elle voulait qu'on connecte, tous les deux, en face à face, Yan-vous-allez-l'aimer-c'est-sûr et Éva-ma-belle-grande-fille. Quand Alex s'est mise à sautiller comme un Slinky sur sa chaise, la main entre les jambes, maman a saisi l'occasion. Elle a souri : « Oh, tiens, moi aussi j'ai super envie, justement. »

Justement.

Alexandra est assez grande pour s'occuper de son pipi toute seule. S'ils la couvaient un peu moins, peut-être qu'elle arrêterait de manger, et de trimballer son gras comme un déguisement de clown pour se protéger du monde. Un vrai bunker ambulant, ma petite sœur. Sauf que, franchement, j'aurais préféré l'accompagner que de me retrouver en face à face avec Yan-chose. Comme si, parce que ma mère couche avec lui, ça en faisait quelqu'un de particulièrement intéressant.

Mais je suis une bonne fille.

Et de toute manière, j'étais coincée là. Je suis donc restée quelques minutes à table avec Yan, à vider mon verre en observant une gang de filles assises près des fenêtres. Un moment, j'ai jonglé avec l'idée de prendre la bouteille de bordeaux grand cru, de me lever, d'aller les rejoindre. Elles avaient l'air de s'amuser pas mal plus que nous – à part une, les yeux fixes, qui souriait même pas quand les autres riaient trop fort. Yan était nerveux. Il devait chercher un sujet de conversation, qu'est-ce qu'un vieux gars peut raconter à la fille de sa nouvelle conquête ? Salut, t'as de beaux yeux, tu viens souvent ici ? *Diiiiit!* Mauvaise réponse. Il s'est mis à regarder le travesti que ma sœur prenait pour une vedette, seul à sa table, il devait envier sa solitude. J'ai bu une autre gorgée.

Peut-être que Yan attendait que je fasse les premiers pas, aussi. Mais qu'est-ce qu'il espérait que je lui dise ? Que je toussote un peu et, d'un air sérieux, lui fasse part de mes préoccupations quant aux Enjeux Écologicosociopolitiques auxquels feront face les Générations Futures ? Ou, nonchalante, que je commente le vin à soixante-dix dollars qu'il avait commandé pour nous impressionner, mais qu'il pouvait pas s'empêcher de fixer douloureusement, comme si je lui arrachais un lambeau de chair chaque fois que je remplissais mon verre ? J'aurais pu parler longtemps de son vin, mon père m'a pas légué grand-chose, mais en bon alcoolique il m'a certainement appris à parler de vin. J'aurais pu commenter la belle robe, le corps équilibré et onctueux et, une fois partie sur le sujet, demander à Yan-chose ce qu'il pensait de ma belle robe ou de mon corps que, pas de doute là-dessus, il trouvait très équilibré ? J'aurais pu lui suggérer : Mon Yan, viens me voir ce soir si tu veux en savoir plus sur le sujet, on reste en famille, ma nouvelle job, mon nouveau nom – Éva, ça aurait fait l'affaire, sauf que Cat m'a suggéré de choisir autre chose, au cas où je croiserais un ami de mon père. « Mais t'en fais pas, avec le maquillage, personne te reconnaîtra. Pis de toute façon, c'est pas ta face qu'ils viennent voir. »

J'aurais pu.

Mais non.

J'ai abordé aucun de ces sujets passionnants qui, à défaut de plaire à ma mère, auraient au moins donné un peu d'éclat à sa mise en scène insignifiante.

Après un bout de temps, Yan s'est raclé la gorge.

— Comme ça, t'as commencé le cégep ?

Oh boy. C'était *ça*, la phrase brillante qu'il avait trouvée pour entamer notre relation ? Pas fort comme début, champion. J'ai failli répondre : « Pis toi, comme ça, t'as commencé à coucher avec ma mère ? » Mais ça aurait pu l'indisposer, et j'aime pas indisposer mes interlocuteurs, je suis une fille polie. Par contre, je l'ai pas laissé poursuivre la discussion, parce que dans le Et-qu'est-ce-que-tu-vas-faire-quand-tu-seras-grande, ça va, j'ai déjà donné.

— Excuse-moi, je dois aller faire pipi.

Yan a paru mal à l'aise, il le prenait personnel. J'ai vidé mon verre, pour lui montrer la relation cause à effet, et je lui ai décoché un gros sourire, les dents collées, la tête penchée, une pose de jeune fille bien élevée. Au moins, maman pourrait pas me reprocher ma conduite. Je me suis levée, j'ai dépassé une femme assise au bar, perdue dans ses pensées, je lui aurais payé un verre si j'avais eu de l'argent, elle m'aurait peut-être donné des trucs pour réussir sa vie, ou pour la gâcher avec une certaine splendeur – quoi faire, quoi éviter, son *top ten*.

Avant de disparaître dans les toilettes, j'ai jeté un coup d'œil à notre table. Yan-vous-allez-l'aimer était là, seul comme un gars qui vient de se faire poser un lapin, en train de se demander quelle attitude adopter. Sûr qu'il aurait allumé une cigarette s'il avait pu, comme dans le bon vieux temps – son époque à lui. Discrètement, d'un geste de propriétaire, il a rapproché la bouteille de vin de son verre. *Nice*.

Un souper de famille, que ma mère avait appelé ça.

Hello-o ? Qu'est-ce que tu comprends pas dans le mot *famille*, maman ?

Sérieusement, ce gars-là, c'est *pas* ma famille. Le sera jamais. Que tu couches avec lui ou non.

Mais bon.

Pour ce que j'en ai à faire, de la famille.

Maman était là, devant le miroir, en train de se remettre une bonne couche de cache-cernes, comme si elle avait acheté ça chez Réno-Dépôt en gallon à côté des pots de peinture. Louable effort d'une vieille mère qui cherche encore à séduire. J'ai pas commenté les résultats. Dans les toilettes, Alexandra chantonnait – version bizarre d'une chanson pop.

En m'apercevant, maman s'est brusquement retournée vers moi :

— Qu'est-ce que tu fais ici ? Tu pouvais pas attendre deux minutes qu'on revienne ?

Apparemment, je venais de commettre un grave outrage aux règles de savoir-vivre. Servait à rien de me défendre, mais j'ai pas pu résister.

— Il est assez grand pour passer cinq minutes tout seul, ton étalon. Pis ma sœur ? Tu l'as laissée dans les toilettes sans surveillance ? T'as pas peur qu'elle se noie ?

Petit éclair dans les yeux de ma mère. Colère ou désespoir, je sais pas trop. Quelque chose de difficile à contrôler.

— Ton mascara a coulé, m'man. Tu devrais t'en acheter du *waterproof*.

J'ai pas attendu sa réaction. Je suis entrée dans la première cabine libre. Le string de mon déshabillé en acrylique m'écorchait la craque, me sciait la fente, j'avais le goût de l'enlever, mais j'avais pas le temps, trop de vin dans mon ventre. Je l'ai placé sur le côté en essayant de pas le mouiller. De toute façon, aussi bien m'habituer à le porter, j'en avais pour toute la soirée. J'ai essayé de l'étirer un peu. J'ai envoyé un texto à Cat – *Cat !* – qui m'a répondu aussitôt.

Nerveuse ?

Ça va.

Tt va bien aller.

Jsé.

Je savais rien du tout, en fait. Mais c'était pas à Cat que j'allais confier ça, pas maintenant. De quoi j'aurais l'air. Lâche. Comme mon père. J'ai tapoté le fond de ma poche, mon petit sachet de carburant. Pour me donner du courage, avant.

La main de ma sœur est apparue sous la cloison qui nous séparait.

— Éva, c'est-tu toi qui es là ?

Elle agitait ses doigts comme pour me faire un spectacle de marionnettes.

— Laisse-moi tranquille, Alex !

— Appelle-moi pas Alex, je suis pas un gars !

— Princesse Alexandra, d'abord. Laisse-moi faire pipi tranquille.

— T'as fini, j'entends plus tes gouttes.

Elle continuait à secouer ses doigts dans tous les sens.

— Alex ? Qu'est-ce que t'as mis sur ta main ? C'est tout rouge.

La main potelée de ma petite sœur a disparu.

— J'ai rien fait !

Elle s'est remise à chantonner – sa version personnelle de *Rehab,* complètement surréaliste. Pas question pour elle de sortir des toilettes, c'était clair. Si on la laissait faire, elle pourrait rester toute la soirée à chantonner et à se parler à voix basse assise sur le bol comme sur un trône, petite reine d'un drôle de royaume.

Ma sœur trop ronde et ses rêves de starlette.

Ma mère et ses cicatrices de guerre.

Et mon père...

Mon père et sa lâcheté, sa lâcheté comme des os broyés qui l'empêchent de se tenir droit.

Famille d'éclopés.

Faudrait surtout pas que je me mette à leur ressembler.

Surtout pas à lui.

Heureusement, pour équilibrer les névroses, maman a ajouté Yan à notre si jolie famille.

Yan a le visage lisse de ceux qui se lèvent à 7 heures le matin et mangent leur bol de Corn Flakes sans ajouter de sucre. Yan a le cheveu bien coiffé de ceux qui sont propres de leur personne et mettent des gants de caoutchouc pour sortir les poubelles ou toucher aux enfants. Yan est un gentil monsieur délicat. Mais il est capable de baiser maman sur le comptoir de la cuisine.

Pauvre Yan.

Il sait pas dans quoi il s'embarque.

Ha ha.

Moi aussi, j'aimerais mieux pas savoir. Mais bon. Grande gueule, grandes oreilles, j'ai jamais été bonne pour me mêler de mes oignons. Le jour où mes parents ont commencé à chuchoter au lieu de se parler, j'ai tendu l'oreille. Réflexe. Ma sœur chante, moi, je tends l'oreille.

Ça sentait le calme avant la tempête.

Pourtant, la tempête est jamais venue. Comme quand la fille de la météo dit : « Il y aura vingt centimètres de neige », et que ça passe à côté, dans le nord, au sud. À côté. Mais mon père est quand même parti. Un soir, les dents serrées, maman a lâché : « Chaque fois que je te vois, je pense à elle. » Elle a pas précisé, ils savaient tous les deux de qui il s'agissait, et ça nous concernait pas. Mon père a baissé la tête, à croire qu'il avait le cancer du torticolis ou qu'on lui avait enlevé les muscles de la fierté. Il a regardé ses spaghettis froids. Comme si c'était eux qui avaient parlé. Et là, quelque chose de résistant s'est cassé en maman, un ressort tendu et usé qui a fini par lâcher. Je crois qu'elle aurait voulu que papa réagisse. Qu'il soit du genre à sortir les poubelles le mardi soir, même avec des gants. Mais il a continué à regarder ses spaghettis.

« Dégage. »

Pas un cri. Plutôt un soupir.

Et pour la première fois de sa vie, mon père l'a écoutée. Dégage.

Un meuble de moins dans la maison.

Ça tombe bien, maman aime pas le désordre.

Petite vibration de mon téléphone. Un texto de Cat. *Bcp de monde ce soir. On t'attend !*

Fuir serait facile. Ignorer le message. Revenir à la maison, rester une fille bien élevée, ne pas chercher à voler de mes propres ailes. Faire comme si, faire comme avant. Quand papa était là. J'étais avec lui, cette fois-là, dans l'auto.

Complètement finie, mon père venu me chercher chez Cat en plein milieu de la nuit parce que je pouvais plus marcher.

Un choc.

Un cri sorti de mon ventre, ou de la nuit, ou de nulle part. De partout.

Mon père qui dit « C'est rien Éva, j'ai frappé le trottoir, tu peux te rendormir. » Deux heures du matin. Quand je me suis réveillée, personne n'a parlé de l'accident. Et moi, de toute façon, j'avais trop mal à la tête.

Je tapote la poche de mon jeans, besoin d'une petite dose de courage, là, tout de suite. Je réponds à Cat : *J'arrive*. Puis, je pose mon iPhone sur le couvercle de la toilette et je me fais une ligne.

Je serai jamais comme mon père.

Je ne veux pas de ses os broyés.

3. ISA

Tu as pris l'ordinateur et le frigo, j'ai gardé les filles. *Mes* filles, c'est ce que tu disais quand elles faisaient des bêtises – souvent, mais pas aussi souvent que toi. Tu aimais bien marquer ma responsabilité dans cette histoire. Comme si, toi, tu n'avais pas vraiment choisi d'y participer. Avais été entraîné là-dedans contre ton gré.

J'ai gardé les filles.

Éva et sa colère, de plus en plus grande.

Alexandra et ses réflexions, de plus en plus surprenantes.

J'ai remplacé le frigo en *stainless* par un frigo blanc, le moins cher chez Sears, qui ne fait pas de glaçons. Pas beau, mais je n'ai jamais pensé qu'un frigo devait avoir d'autres attributs que sa fonctionnalité. Contrairement à un fauteuil. Ou à un homme. Je n'ai pas racheté d'ordinateur. Éva m'en veut – pour cette raison, et pour tant d'autres. Quand elle détache les yeux du iPhone que tu lui as gentiment donné pour te faire pardonner d'avoir disparu de sa vie, elle assure, le regard mauvais, que nous sommes la seule famille du pays à ne pas avoir internet. Si je lui réponds que nous n'en avons pas besoin, elle grogne : « M'man, *come on* ! Arrive au vingt et unième siècle ! »

Éva me considère comme une antiquité et je ne peux pas la blâmer. Devant ce miroir, ici, je vois bien ce qu'elle veut dire.

Ajoute du fard, Isa, souris. Les femmes sont belles à quarante ans. J'essaie de m'en convaincre.

Depuis ton départ, malgré la proximité physique, quotidienne, nous nous sommes éloignées, les filles et moi. Je voudrais dire à cause de toi, mais je me suis promis de ne pas tomber dans le piège. Ne pas devenir amère, une autre monoparentale qui passe sa vie à maudire son ex. Non. Rien de pire que l'amertume et le regret.

Je vais mieux, maintenant. Je remonte la pente. J'ai repris le travail. J'ai rencontré quelqu'un.

J'ai effacé tes traces.

Ton odeur, entêtante, a été la plus difficile à faire disparaître.

Yan n'a rien à voir avec toi. Discret, avenant. Rien de ta tonitruance. Il vit doucement, comme sur la pointe des pieds. Un chat. Il ne rit pas souvent, parle peu, mais fait l'amour avec fougue. Son désir à lui seul vaudrait que je le garde toujours couché dans mon lit, là où ton corps a creusé sa place au fil des ans.

Je ne te regrette pas, non. Mon seul regret, celui qui me tenaille depuis le jour de ton départ, c'est de ne pas t'avoir jeté à la porte plus tôt. D'avoir été trop lâche, d'avoir craint les conséquences. Contrairement à toi, car tu n'es pas homme de conséquences, ne l'as jamais été. Je ne m'en étais pas vraiment rendu compte, avant. Ou oui, peut-être, mais je préférais l'ignorer. Tête dans le sable. Jusqu'à la dernière fois.

Cette fois-là, ton insouciance m'est apparue sous la forme d'une tache à l'avant de la voiture, comme une vile salissure, de la peinture ou du vomi, il faisait noir, je ne voyais pas bien. Quelque chose qui, assurément, ne devait pas être là. J'ai frissonné en passant la main dessus. Mais tu n'as jamais été très propre. Et j'avais sommeil. Je dormais mal quand tu n'étais pas là.

Maintenant non, je ne dors plus mal.

L'un des effets secondaires du somnifère prescrit par mon médecin m'a bien fait rire, quand j'ai pris ma dose le premier soir. Certains utilisateurs auraient des relations sexuelles durant leur sommeil. Ha ha. Je voyais mal comment ça pourrait m'arriver. Ça ne m'intéressait pas, d'ailleurs. Je voulais dormir. Arrêter le déferlement des images. Pas tant celles de toi, de ton sourire baveux. Les images de toi, je peux les mettre de côté, les ranger dans le fond d'une garde-robe, fermer la boîte, les oublier.

Mais les autres.

Celles que j'ai moi-même inventées. J'ai revu cent fois le film de cette nuit qui a tout précipité. Drôle, tout de même, d'avoir autant de souvenirs d'un moment auquel je n'ai pas assisté. Je m'attendais depuis longtemps à ce que notre rupture soit provoquée par une femme – quelle autre raison ? Mais pas comme ça. Je lui ai donné mille visages, à cette femme, des âges divers aussi. Je l'ai imaginée blonde et frêle, ou brune et dodue. Elle changeait constamment, pas moyen de la fixer. Mais chaque fois, je la voyais s'élançant, inconsciente, dans la rue sombre.

As-tu entendu le son qui s'échappait de sa bouche ?

Un soupir. Un cri.

Sauf que tu as toujours aimé la musique forte en voiture, et le bruit de tes pensées t'a souvent empêché d'entendre la vie des autres.

Tu as eu peur, je te comprends. Éva assoupie à l'arrière de la voiture. Plusieurs verres pendant la soirée, mais tu as tout de même pris le volant.

Un soupir, un cri.

Tu as eu peur.

Et au matin, c'est ma main qui était tachée.

J'aurais pu éviter le sujet, et tu ne m'aurais rien dit. Nous aurions continué notre mascarade, chacun luttant pour donner au présent la saveur du passé, un passé lointain – tu te rappelles, nos premières années ? Un nouveau silence se serait déposé entre nous, plus lourd que les autres. Mais *qui* arrive vraiment à mesurer le poids des secrets ? Pas moi, certainement. Et toi, depuis longtemps, tu as arrêté de compter. Ce qu'on ne sait pas ne fait pas mal, tu m'avais dit ça une fois en me parlant d'autre chose. Peut-être me regardais-tu encore, à cette époque. Puis, tu avais raconté une blague, tu avais toujours le mot pour faire dévier le cours d'une conversation sérieuse. Habile.

J'ai pensé à un écureuil. Un chat. Un chien. C'est toi qui as parlé de la femme. Aussitôt, à mon air catastrophé, tu as regretté tes paroles. Tu ne voulais pas vraiment dire ça. Tu ne savais plus trop. Il faisait si noir. Et puis, tu avais trop bu. J'ai dit « Arrête, tais-toi maintenant. » Nous avons lavé la voiture en silence.

Après, chacune de tes faiblesses m'est apparue. Exaspérante. Ton travail, minable, rien à voir avec tes ambitions de jeune homme. La façon dont, toujours, tu te défilais quand venait le temps de parler de nos filles, de leurs problèmes. L'accident. Et la bouteille. Un dernier verre. Une fois, à l'épicerie, quand tu as échappé un pot de moutarde et as repoussé nonchalamment les débris du pied, sans rien dire, j'ai eu envie de te tuer. Pour ce petit geste insignifiant. Pour cette désinvolture. J'aurais voulu te forcer à prendre les tessons, à t'en faire saigner les mains, voulu t'arracher le cœur avec le verre brisé. Te forcer à avertir un commis, au moins. Mais tu étais déjà dans l'allée des céréales, à hésiter entre les Froot Loops et les Frosted Flakes. Pour me venger, j'ai mis des Shredded Wheat dans le chariot.

En revenant à la maison, je t'ai demandé où. Tu ne savais pas à quoi je faisais allusion. Ou feignais de l'ignorer. Tu ne me parlais pas. C'est Alexandra qui m'avait raconté, pour les policiers, une semaine après l'accident. Un après-midi ensoleillé, quand je n'étais pas à la maison. Ils n'avaient rien retenu contre toi. Il n'y avait pas de témoin, ou un seul, pas très fiable. Éva semblait ne se rappeler de rien. Et nous avions si bien nettoyé la voiture. Nous sommes une équipe du tonnerre, toi et moi. De vrais pros du camouflage.

Tu avais peut-être déjà réussi à effacer son visage. De toute façon, il faisait si noir.

Tu étais aveugle. Donc, innocent.

Aveugle.

Il y a longtemps, à cause des grossesses et de la gêne, nous nous sommes habitués à faire l'amour dans le noir. Puis, nous avons oublié de nous regarder à la clarté, trop occupés ailleurs, moi, à surveiller les enfants, toi, à jeter des coups d'œil ahuris derrière ton dos. Toute cette liberté qui t'avait échappé, irrémédiablement, sans que tu t'en rendes compte. Tu avais la nostalgie facile, écoutais Amy Winehouse dans ta Toyota, à fond la caisse, une belle fille qui ne vieillirait pas, contrairement à toi. Tu l'adorais, même si tu avais toujours eu le R&B en horreur – tu étais un fan de ce rock de garage où, au milieu du bruit, seule la basse reste audible.

Le temps transforme bien des choses, paraît-il. Efface les souvenirs.

Mais ne t'inquiète pas. J'oublie, moi aussi.

Je remonte la pente. J'ai rencontré quelqu'un.

Je ne prends plus de somnifères – ou si peu. Yan aime la lumière, et dans ces moments-là je préfère être réveillée. Tu peux comprendre.

Pourtant, ne crois pas que tout soit réglé.

Chaque fois que je me regarde dans le miroir, je vois la trace des années passées avec toi. Vingt ans à vieillir pour rien. Pour personne. J'ajoute du fond de teint, je me place sous le bon angle, avec le bon éclairage. Souhaite que ça ne se voie pas trop. C'est une acrobatie compliquée ; mettre en scène sa propre vie n'est pas simple. Un exercice solitaire et laborieux. Tu aurais dû voir la serveuse agacée, tout à l'heure, quand je lui ai demandé de nous changer de table pour la troisième fois. Je ne supportais pas l'idée que tout le monde nous voie, dans la rue. Elle ne supportait pas d'avoir affaire à une autre cliente capricieuse. Mais cette lampe, au-dessus de ma tête. Le creux de mes yeux, les rides autour de ma bouche. Non.

Les derniers temps, tu me reprochais d'avoir l'air sévère, de pincer les lèvres. Tu me voyais, donc. Et tu avais sans doute raison, ou peut-être te sentais-tu tout simplement coupable. Toutes ces taches dans ton existence.

Invisibles derrière ton sourire.

Tu sais qu'Éva a le même ? Un sourire confiant et taquin. Irrésistible. Qui donne envie d'oublier ses bêtises. Quand elle était petite, elle obtenait tout avec ce sourire. Des bonbons, un tour de carrousel supplémentaire. Et toi... Tu as aussi obtenu tout ce que tu voulais, bien sûr. Mon pardon, à plusieurs reprises. L'amour d'Alexandra, inconditionnel. Celui d'Éva ne t'est pas acquis, plus maintenant. Elle comprend trop, même quand on lui cache tout. Ton départ. Elle n'a pas demandé pourquoi, pour qui. Elle sait. Elle n'est pas aussi naïve que moi. Elle me le répète, parmi d'autres reproches, presque tous les jours.

Je n'étais pas naïve, j'étais amoureuse. C'est ma réponse à la question qu'elle ne me posera jamais. Une réponse. Naïve.

Et toi ?

Au début, peut-être. Sans doute. Sinon, pourquoi Éva ? Après aussi, Alexandra est venue bien longtemps après. Il y avait de l'amour, encore. Ou peut-être que du sexe, nous avons toujours réussi à nous oublier l'un dans l'autre. Oublier n'étant pas la solution, jamais.

Tu as oublié ?

Cette nuit-là, comme un écho de toutes les autres. Une ecchymose après une très longue chute – la tienne, la nôtre. Commotion cérébrale. Tu as oublié ? Non, je ne sais pas de quoi tu parles. De quoi tu parles, Isa ? Ce n'était rien, calme-toi.

J'ai toujours eu le rôle de l'hystérique dans notre histoire. Le pire casting. Oh, Isa, vous savez comment elle est.

Qu'est-ce qui lui est arrivé, à cette femme ?

Et à nous ?

Et à nous.

De quoi tu parles, Isa ?

Cette histoire, je ne la raconterai jamais. Je ne serai pas celle qui leur apprendra de quelle nature est fait leur père. Non. Je ne veux pas porter l'odieux de ce rôle. C'est à toi d'accomplir cet exploit-là. Mais... *Hit and run*. Tu sais si bien t'enfuir.

Je vais mieux, maintenant. Je remonte la pente. J'ai repris le travail, j'ai rencontré quelqu'un.

J'ai effacé tes traces.

Ton odeur.

Je vais mieux, maintenant.

Nous allons beaucoup mieux.

REMERCIEMENTS

Merci à Michelle pour sa lecture bienveillante
et à Jean-Samuel pour son soutien filial indigne.

— Caroline

Pour notre lunch improvisé l'hiver dernier,
ta générosité et ton humour, merci Michel C.

— Claudia

Merci à Martin Balthazar grâce à qui, après bien des discussions
et des verres, toutes ces plumes ont finalement pu être réunies.

— Karine

Merci à mes amis et famille français de m'avoir appris à me sentir
chez moi là-bas, et à ma place parmi eux… Et à mes amis et famille
québécois de m'avoir appris à savoir revenir avec la certitude
que parmi eux je serai toujours chez moi.

— Mélikah

DES MÊMES AUTEURES

Mélikah Abdelmoumen

Les désastrées, Montréal, VLB éditeur, 2013 (à paraître).
Victoria et le vagabond, Montréal, Marchand de feuilles, 2008.
Alia, Montréal, du Marchand de feuilles, 2006.
*Le d*égoût du bonheur, Montréal, Point de fuite, 2001.
Lima Destroy & Robinette Spa, Montréal, Point de fuite, 2000.
Chair d'assaut, Montréal, Trait d'union, 1999.

Caroline Allard

Les chroniques d'une fille indigne, Québec, Septentrion, 2013 (à paraître).
Universel Coiffure, Montréal, Coups de tête, 2012.
Pour en finir avec le sexe, Québec, Septentrion, 2011.
Chroniques d'une mère indigne, tome II, Québec, Septentrion, 2009.
Chroniques d'une mère indigne, tome I, Québec, Septentrion, 2007 ; France, Éditions Porc-Épic, 2009.

India Desjardins

Le Noël de Marguerite, illustrations de Pascal Blanchet, Montréal, Éditions de la Pastèque, 2013.
La célibataire, illustrations de Magalie Foutrier, Montréal, Michel Lafon, 2012.
Le journal d'Aurélie Laflamme, tome VIII. *Les pieds sur terre*, Montréal, Les Intouchables, 2011.
Le journal d'Aurélie Laflamme, tome VII. *Plein de secrets*, Montréal, Les Intouchables, 2010.
Le journal d'Aurélie Laflamme, tome VI. Ça déménage !, Montréal, Les Intouchables, 2009.

Le journal d'Aurélie Laflamme, tome V. *Championne*, Montréal, Les Intouchables, 2008.

Le journal d'Aurélie Laflamme, tome IV. *Le monde à l'envers*, Montréal, Les Intouchables, 2007.

Le journal d'Aurélie Laflamme, tome III. *Un été chez ma grand-mère*, Montréal, Les Intouchables, 2007.

Le journal d'Aurélie Laflamme, tome II. *Sur le point de craquer !*, Montréal, Les Intouchables, 2006.

Le journal d'Aurélie Laflamme, tome I. *Extraterrestre… ou presque !*, Montréal, Les Intouchables, 2006.

Les aventures d'India Jones, Montréal, Les Intouchables, 2005.

Danielle Fournier

Iris, avec Luce Guilbaud, Montréal, l'Hexagone, 2012.

Effleurés de lumière, Montréal, l'Hexagone, 2010.

Je reconnais la patience de l'arbre, Saint-Benoît-du-Sault, Tarabuste, 2008.

Le chant unifié, Montréal, Leméac, 2005.

Il n'y a rien d'intact dans ma chair, Montréal, l'Hexagone, 2004.

Poèmes perdus en Hongrie, Montréal, VLB éditeur, 2002.

Ne me dis plus jamais qui je suis, Laval, Trois, 2000.

Langue éternelle, Montréal, Éditions du Noroît, 1998.

Dire l'autre, Montréal, Fides, 1998.

Personne d'autre que l'amour, Montréal, Éditions du Noroît, 1993.

Projet d'un amour, entre autres choses, occidental, Roubaix (France), Éditions Brandes, 1990.

Objets : cris, Montréal, VLB éditeur, 1989.

L'empreinte, Montréal, VLB éditeur, 1988.

De ce nom de l'amour. Le détournement de l'initiale, Montréal, Triptyque, 1985.

Les mardis de la paternité ou Le regard appris, Montréal, Triptyque, 1983.

Karine Glorieux

Les charmes de l'impossible, Montréal, Druide, 2012.

Mademoiselle Tic Tac, tome II. *Les montagnes russes*, Montréal, Québec Amérique, 2010.

Mademoiselle Tic Tac, tome I. *Le manège amoureux*, Montréal, Québec Amérique, 2009.

Claudia Larochelle

Les bonnes filles plantent des fleurs au printemps, Montréal, Leméac, 2011.

Jennifer Tremblay

Maria Chapdelaine, adaptation de l'œuvre de Louis Hémon, illustrations de Francesc Rovira, Montréal, Éditions de la Bagnole, 2013.

De la ville, il ne me reste que toi, illustrations de Normand Cousineau, Montréal, Éditions de la Bagnole, 2011.

Le carrousel, Montréal, Éditions de la Bagnole, 2011.

Matisse et les vaches lunaires, illustrations de Rémy Simard, Montréal, Éditions de la Bagnole, 2009.

La liste, Montréal, Éditions de la Bagnole, 2008.

Sacha et son sushi, illustrations de Fabrice Boulanger, Montréal, Éditions de la Bagnole, 2008.

Madame Zia, illustrations de Fabrice Boulanger, Montréal, Éditions Lauzier, 2007.

Miro et les canetons du lac vert, illustrations de Sampar, Montréal, Éditions de la Bagnole, 2006.

Tout ce qui brille, Montréal, Éditions de la Bagnole, 2005.

Un secret pour Matisse, illustrations de Rémy Simard, Montréal, Éditions de la Bagnole, 2004.

Deux biscuits pour Sacha, illustrations de Fabrice Boulanger, Montréal, Éditions de la Bagnole, 2004.

Histoire de foudres, Amqui, Machin Chouette éditeur, 1990.

Cet ouvrage composé en Adobe Caslon Pro corps 12
a été achevé d'imprimer au Québec sur les presses de Marquis Imprimeur
le vingt-sept août deux mille treize pour le compte de VLB éditeur.